D0415390

LA FIBROMYALGIE

et le syndrome de

FATIGUE CHRONIQUE

Données de catalogage avant publication (Canada)

Martin, Anthony W., 1952-

La fibromyalgie et le syndrome de fatigue chronique
(Collection Santé naturelle)
ISBN 2-7640-0333-1

1. Fatigue chronique. 2. Fatigue chronique – Diagnostic. 3. Fatigue chronique – Traitement. I. Titre. II. Collection: Collection Santé naturelle (Outremont, Québec).

RB150.F37M37 1999 616'.0478 C99-940712-0

LES ÉDITIONS QUEBECOR
7, chemin Bates
Outremont (Québec)
H2V 1A6
Tél.: (514) 270-1746

Bibliothèque nationale du Québec
Bibliothèque nationale du Canada
ISBN: 2-7640-0333-1

Éditeur: Jacques Simard
Coordonnatrice de la production: Dianne Rioux
Conception de la page couverture: Bernard Langlois
Photo de la page couverture: Anne Gardon / Reflexion
Révision: Sylvie Massariol
Correction d'épreuves: Francine St-Jean
Infographie: René Jacob, 15e Avenue

Nous reconnaissons l'aide financière du gouvernement du Canada par l'entremise du Programme d'Aide au Développement de l'Industrie de l'Édition pour nos activités d'édition.

Dr Anthony W. Martin

LA FIBROMYALGIE

et le syndrome de FATIGUE CHRONIQUE

PREMIÈRE PARTIE

LE SYNDROME DE FATIGUE CHRONIQUE : UNE NOUVELLE ÉPIDÉMIE

« Il s'est produit quelque chose depuis 1985. » Cette phrase, je l'ai répétée maintes et maintes fois au cours des centaines d'entrevues que j'ai accordées à la radio et à la télévision. Pourquoi cette affirmation ? Eh bien ! pour répondre à la question : « Pourquoi les gens sont-ils si malades et si fatigués de nos jours ? » De fait, depuis quelques années, j'ai observé un changement saisissant dans le cadre de ma propre pratique.

Comme chiropraticien et en tant que docteur en nutrition depuis 1974, je peux vous affirmer, en me basant sur mes statistiques cliniques, que, depuis 1985, la plupart des gens ne sont pas en très bonne santé. En fait, notre santé n'a jamais été en aussi mauvais état ! Saviez-vous qu'au début des années 1970, une femme sur vingt courait le risque d'être atteinte du cancer du sein et qu'aujourd'hui, il s'agit d'une femme sur huit ? Les choses ne sont pas plus rassurantes pour les hommes. En 1974, un homme sur quinze pouvait être atteint du cancer de la prostate après l'âge de 50 ans. Aujourd'hui, on estime que c'est un homme sur quatre. Pardi ! Que se passe-t-il ? Avant 1985, un enfant sur vingt qui venait dans mon bureau souffrait d'asthme ou d'allergies. Aujourd'hui, un enfant sur trois souffre de ces problèmes[1].

Et ce n'est pas tout. Voici une liste des maladies dont la fréquence a augmenté depuis 1985[2] :

1. le syndrome de fatigue chronique ;
2. le cancer du sein ;
3. le cancer de l'estomac ;
4. l'asthme et les allergies ;
5. le diabète et l'hypoglycémie ;
6. les troubles de l'attention ;
7. la maladie bipolaire (psychose maniaco-dépressive).

Dans la première partie de cet ouvrage, je démontrerai que, même si nous dépensons des millions de dollars pour des prétendus soins de santé, *notre santé ne s'améliore pas.* Évidemment, en moyenne, nous vivons un peu plus longtemps, mais nous ne sommes certainement pas en meilleure forme. Que se passe-t-il alors ? Pourquoi sommes-nous si fatigués ? Pourquoi les maladies comme le syndrome de fatigue chronique et les troubles de l'attention ne peuvent-elles être contrôlées ? Pourquoi le nombre de cas d'asthme et de diabète ne cesse-t-il pas d'augmenter ? Existe-t-il un lien entre toutes ces maladies ? Voyons quelques principes à ce sujet.

RÉFÉRENCES

1 « Healthwatch », *R & T Press*, vol. 1, n° 4, p. 2.

2 MARTIN, A. W. *Chronic Fatigue Syndrome, Free Radical Damage and Pycnogenol®*, Mandeville, Louisiana, Lasalle University, 1996.

CHAPITRE 1

Les causes du déclin de notre santé

Au cours des quinze dernières années, il y a eu un important changement dans la santé des gens. Le Center for Disease Control (CDC), à Atlanta (Géorgie, États-Unis), affirme qu'il y a plus de 90 millions de personnes dans le monde qui souffrent du syndrome de fatigue chronique[1]. En Amérique du Nord, un patient sur quatre souffre du syndrome de fatigue chronique.

Quatre catégories de causes peuvent expliquer ce sentiment de fatigue si répandu de nos jours. Le fait que le monde, et particulièrement l'Amérique du Nord, a subi d'importantes modifications au cours des deux dernières décennies n'est pas étranger à ce phénomène!

LE STYLE DE VIE

Depuis les quinze dernières années, de plus en plus de femmes sont sur le marché du travail. En moyenne, elles passent huit heures par jour au travail, puis elles retournent à la maison et entament un deuxième type de travail.

Devinez quoi, mesdames ? Votre corps n'a pas été conçu pour cela. Ce n'est qu'au moment où mon épouse, infirmière et conseillère en nutrition, mère de quatre enfants, est tombée malade que j'ai enfin pris conscience à quel point les femmes – notamment ma femme – travaillaient fort. La plupart des hommes – y compris moi – sont terriblement aveugles !

Lorsque mon épouse est tombée malade du syndrome de fatigue chronique en 1991, j'ai dû prendre le relais pour certaines de ses tâches ordinaires. « Comment les femmes font-elles pour abattre autant de boulot ? » me suis-je demandé. Mon épouse travaillait toute la journée avec moi à la clinique, puis elle commençait son « deuxième travail » une fois arrivée à la maison. À ce rythme, ce n'est pas surprenant que bien des femmes tombent malades et qu'elles soient victimes d'épuisement professionnel ! Une bonne partie des femmes travaillent deux fois plus que les hommes. Oui, je travaille fort, mais lorsque je reviens à la maison, j'ai le temps de me relaxer. Je m'occupe des enfants, mais cela n'a rien à voir avec ce que fait mon épouse.

Mesdames, votre corps n'a pas été conçu pour travailler de seize à dix-huit heures par jour !

LE STRESS

Qui n'est pas stressé de nos jours ? Selon les statistiques, le stress est le problème n° 1 observé par les médecins au cours de leur pratique quotidienne[2]. Les gens subissent une pression énorme qui diffère, aujourd'hui, de tant de façons de celle de nos parents. (Une partie du chapitre 4 est consacrée aux conséquences du stress sur notre système immunitaire et l'effet qu'il a sur le syndrome de fatigue chronique.)

De nombreuses études ont confirmé que le système immunitaire est déséquilibré par un stress excessif. Par exemple, lorsqu'une personne vit un divorce, une séparation ou la perte de son conjoint, les risques qu'elle soit atteinte d'un cancer ou qu'elle subisse un accident vasculaire cérébral augmentent de 50 % à 60 % au cours de la première année[3].

LES HABITUDES ALIMENTAIRES

Qu'est-ce qui a changé au cours des quinze dernières années dans notre régime alimentaire ? Une fois de plus, il n'est pas nécessaire d'y réfléchir longtemps pour le deviner ! La restauration rapide ou *fast food* a pris une place importante dans notre façon de nous alimenter. Elle est remplie de gras saturés et n'offre pas les éléments nutritifs nécessaires pour que nous demeurions en santé.

L'un des autres facteurs en cause est notre trop grande consommation de sucre. Nous ne songerions pas à verser du sucre dans nos réservoirs à essence, alors pourquoi nous entêtons-nous à nourrir notre sang de sucre ? Cela nous cause des torts énormes. En fait, comme je l'expliquerai plus loin, le sucre est une cause majeure de maladies du cœur, de cancers de plusieurs types et de nombreuses autres maladies.

Toutefois, il est fort probable que la principale raison pour laquelle les gens sont moins en santé aujourd'hui soit le manque de fibres dans notre régime alimentaire. En moyenne, chaque femme devrait consommer au moins de 30 à 40 g de fibres par jour[4]. Cependant, la plupart des femmes occidentales n'en absorbent que de 5 à 10 g quotidiennement.

Pourquoi les fibres sont-elles si importantes ? Eh bien, par exemple, saviez-vous qu'il existe un lien direct entre le manque de fibres dans le régime alimentaire de la femme et le cancer du sein ? Une femme qui présente une constipation chronique court de 40 % à 50 % plus de risques d'être atteinte du cancer du sein ! Lorsqu'une femme n'élimine pas les toxines de son organisme, ces dernières sont réabsorbées par le système lymphatique et empoisonnent les tissus mammaires. Vous désirez savoir pourquoi nous perdons la guerre contre le cancer du sein ? Pourquoi de plus en plus de femmes meurent de cette terrible maladie depuis les deux dernières décennies ? *Parce que leur régime alimentaire ne contient pas assez de fibres, purement et simplement !*

Le slogan de l'American Cancer Society, « On peut vaincre le cancer », semble percutant, mais en réalité, il est loin de la vérité. Nous dépensons des millions de dollars en recherche chaque année pour découvrir le gène responsable, alors qu'en fait nous perdons peu à peu la guerre contre le cancer du sein. Mesdames, commencez dès maintenant à *faire de la prévention* contre le cancer du sein. À propos, ne me parlez pas de la prétendue prévention du cancer du sein que prône la Société du cancer. Leur prévention est appelée « dépistage précoce ». Sachez, mesdames, que si vous détectez une masse en palpant vos seins, c'est qu'il est déjà très tard ! N'importe quel médecin de mérite sait qu'une masse palpable peut être là depuis au moins cinq ou dix ans. Cela signifie que le cancer a déjà commencé à causer des dommages. Pour remporter la victoire sur le cancer, il faut prévenir cette maladie, c'est aussi simple que cela.

L'ENVIRONNEMENT

Encore une fois, il n'est pas nécessaire de détenir un doctorat en sciences pour prendre conscience que notre environnement a changé considérablement depuis les quinze dernières années. Ralph Nader, grand chercheur américain, écrivait récemment que l'alimentation en eau potable de la plupart des villes américaines contient, en moyenne, 2 100 produits chimiques[5]. Imaginez toute la saloperie que nous buvons. Il n'est pas surprenant que nous soyons si malades ! Pouvez-vous, par les temps qui courent, manger de la viande qui n'a pas été bourrée d'antibiotiques et d'hormones ? On utilise tellement d'herbicides et de pesticides aujourd'hui que la plupart des sols sont dangereusement pauvres en minéraux essentiels. Une pomme moyenne contient 25 % moins de vitamine C qu'une pomme du même verger il y a 25 ans.

Voyez-vous le modèle qui se dessine maintenant ? Notre style de vie, notre régime alimentaire et notre environnement contribuent à l'augmentation d'un nombre important de maladies. *Nous ne sommes pas plus en santé; au contraire, nous sommes de plus en plus malades chaque minute qui passe.*

RÉFÉRENCES

1 ROSENBAUM, M. et M. SUSSER. *Solving the Puzzle of Chronic Fatigue Syndrome*, Tacoma, Washington, Life Services Press, 1992.

2 HART, A. *The Hidden Link Between Adrenalin and Stress*, Dallas, Texas, Word Publishing, 1991, p. 3-15.

3 *Ibidem.*

4 TODD, G. *Nutritional, Health and Disease*, Atglen, Pennsylvania, Schiffer Publishing, 1985, p. 50-55.

5 *« Water : is it safe ? » Toronto Star*, 1998, section D, p. 85.

CHAPITRE 2

Les critères diagnostiques du syndrome de fatigue chronique

Dans le présent chapitre, j'explique tout ce qu'on connaît du syndrome de fatigue chronique (SFC). J'indique également au moyen d'un tableau les différences qui existent entre le syndrome de fatigue chronique et la fibromyalgie.

Si vous commencez seulement à subir toute une batterie de tests, mais que vous croyiez réellement être atteint du syndrome de fatigue chronique ou de fibromyalgie, soyez averti : les tests de routine en laboratoire ne révèlent rien à propos du SFC ou de la fibromyalgie. Étant donné que la fatigue et la douleur sont individuelles et qu'elles ne peuvent être vues, mesurées ou observées lors d'un test sanguin, le problème est souvent minimisé. Selon les statistiques, le sang des personnes souffrant du SFC ne diffère invariablement pas de celui des personnes en santé, et si aucune anomalie n'est détectée, les médecins peuvent croire que les symptômes sont « imaginaires ». Soyez seulement conscient qu'il ne s'agit pas du syndrome des *yuppies* et que la dépression survient « après en avoir vraiment assez d'être malade et fatigué ».

Les critères suivants proviennent des directives du Center of Disease Control (CDC) sur la prévention des infections nosocomiales publiées dans *Annals of Internal Medicine.*

LES SYMPTÔMES DU SYNDROME DE FATIGUE CHRONIQUE[1]

Voici les dix symptômes que l'on observe chez les personnes atteintes du SFC :

1. La fatigue (constante, non soulagée par le repos, qui dure depuis au moins six mois consécutifs ou plus) ;
2. le ganglion du cou ou de l'aisselle douloureux à la palpation ;
3. les troubles du sommeil (bien que la personne soit extrêmement fatiguée, sommeil de une heure ou deux, ou sommeil agité de dix à douze heures non réparateur, cauchemars) ;
4. la déficience cognitive ou les pertes de mémoire (difficulté à se concentrer, confusion mentale, particulièrement au cours de moments de fatigue, de périodes d'étourdissements) ;
5. le mal de gorge chronique (sans signe d'infection) ;
6. les douleurs musculaires ;
7. la douleur aux articulations (sans signe d'arthrite) ou le côlon irritable (alternant entre la diarrhée et la constipation) ;

8. des maux de tête d'apparition nouvelle (céphalées de tension ou migraines) ;
9. le syndrome post-exercice (fatigue, douleur et symptômes pseudo-grippaux après l'exercice) ;
10. les allergies (alimentaires et à l'environnement).

Il n'est pas nécessaire de souffrir de tous ces symptômes pour être atteint du syndrome de fatigue chronique. Selon mon expérience, voici les quatre symptômes les plus fréquents du SFC :

1. la fatigue ;
2. la déficience cognitive ou les pertes de mémoire ;

TABLEAU 1

Comparaisons entre le syndrome de fatigue chronique et la fibromyalgie

Le syndrome de fatigue chronique (SFC)	***La fibromyalgie***
1. *La fatigue* : il s'agit du principal élément dont se plaint le patient atteint du SFC ;	1. *La fatigue* : elle n'est pas aussi intense que pour le SFC ;
2. *Les douleurs musculaires* : douleurs continues généralisées et douleurs musculaires ;	2. *Les douleurs musculaires* : ce sont de ces douleurs que les patients souffrant de fibromyalgie se plaignent principalement. Spécifiquement : douleurs aux articulations et douleurs musculaires – Un groupe musculaire fait mal continuellement et plus que n'importe quel autre groupe musculaire.

3. *Les pertes de mémoire*: tous les patients souffrant du SFC ont des trous de mémoire et des problèmes cognitifs;	3. *Les pertes de mémoire*: les patients ne souffrent pas tous de pertes de mémoire.
4. *Les allergies*: les allergies cutanées, chimiques, alimentaires et les intolérances au milieu sont fréquentes;	4. *Les allergies*: elles ne sont pas aussi fréquentes chez les patients atteints de fibromyalgie que chez les patients atteints du SFC.
5. *L'événement déclencheur*: se manifeste habituellement après une longue prise d'antibiotiques ou par un stress de longue durée (par exemple, problèmes familiaux, divorce ou décès du conjoint ou de la conjointe);	5. *L'événement déclencheur:* se manifeste habituellement après un traumatisme grave (par exemple, un accident de voiture, un coup de fouet cervical);
6. *Les troubles du sommeil*: tomber endormi et demeurer endormi est caractéristique, alternant avec 10 à 12 heures de sommeil non réparateur. Les patients atteints du SFC se plaignent généralement ainsi: «Je ne peux m'endormir parce que mon cerveau ne veut pas s'arrêter de fonctionner.»	6. *Les troubles du sommeil*: difficulté à dormir en raison de douleurs fibromyalgiques.

3. les troubles du sommeil;
4. les douleurs musculaires.

Remarque : Cinq des neuf critères liés à la douleur et aux troubles du sommeil sont souvent également présents dans les cas de fibromyalgie. D'une part, selon le CDC, vous n'êtes pas atteint du syndrome de fatigue chronique si vous présentez n'importe quel autre état pathologique coexistant. D'autre part, la fibromyalgie est une entité clinique distincte qui est particulière, peu importe si une personne souffre d'autres problèmes médicaux. C'est peut-être pourquoi vous entendez davantage parler de cas de fibromyalgie (2 % de la population) que de cas de syndrome de fatigue chronique (± 0,5 % de la population). Cette maladie est tellement fréquente que le CDC a installé une ligne d'assistance téléphonique spécialement réservée aux personnes atteintes du SFC.

Pour ma part, je n'ai jamais vu de patient souffrant du SFC sans être atteint de fibromyalgie, ni de patient souffrant de fibromyalgie sans être atteint du SFC. Un médecin interniste aura tendance à diagnostiquer le SFC chez son patient, tandis que le rhumatologue diagnostiquera plutôt la fibromyalgie.

Entre 1984 et 1987, le nombre de patients se présentant chez le médecin avec des symptômes de SFC a doublé, et entre 1987 et 1989, ce nombre a doublé de nouveau[3]. Les médecins qui ont effectué très peu de recherche sur le sujet sont sceptiques et préfèrent croire que le SFC n'existe pas vraiment, déclarant qu'il s'agit d'une dépression. Par conséquent, les patients se voient administrés des antidépresseurs, des calmants et des tranquillisants. Ces médicaments contribuent très peu à traiter la maladie et peuvent, en fait, causer beaucoup de tort.

FIGURE 1

Les nouveaux cas de SFC par année

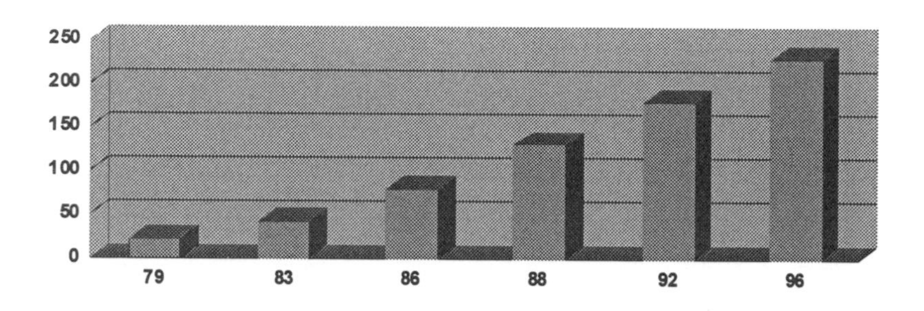

UNE NOUVELLE MALADIE

Je veux que tout le monde sache que le syndrome de fatigue chronique est une nouvelle maladie. Tout comme le sida, ce syndrome existe depuis la fin des années 1970 environ. Il ne s'agit pas d'épuisement professionnel. Il ne s'agit pas non plus de personnes ayant une vie parsemée de difficultés. Le SFC est une maladie très grave et comporte ses propres symptômes.

LES CAUSES DU SFC

Il y a presque quinze ans, je commençais à étudier cette grave maladie qu'est le syndrome de fatigue chronique. C'est en me basant sur mon expérience comme intervenant auprès de plus de 500 personnes atteintes de cette maladie que je me permets d'effectuer les constats qui vont suivre.

1. L'utilisation d'antibiotiques à long terme

Plusieurs professionnels de la santé ainsi que moi-même avons pu remarquer à maintes reprises que plus de 80 % des personnes souffrant du SFC avaient utilisé des antibiotiques à de multiples reprises. Nous avons également souvent observé que, durant leur enfance, les patients atteints du SFC avaient souffert d'une récurrence des infections de l'oreille moyenne ou de la gorge. Les Drs Michel Rosebaum et Murray Susser, pour leur part, laissent supposer que les traitements d'antibiotiques contre l'acné peuvent être le plus grand responsable du SFC[4].

2. La pilule contraceptive

La pilule contraceptive est l'un des autres dénominateurs communs des patientes atteintes du SFC. Selon mon expérience, la plupart des femmes qui ont pris la pilule contraceptive pendant une période prolongée (plus de deux ans) souffrent d'infections chroniques aux levures (*Candida*). Ce genre d'infection peut être de faible teneur, ce qui signifie qu'un grand nombre de femmes ignorent même qu'elles en souffrent. Cependant, une infection aux levures aura certainement pour effet d'affaiblir le système immunitaire pendant un certain temps.

3. L'exposition à la moisissure

Plus nous en apprenons sur le syndrome de fatigue chronique, plus nous sommes convaincus que l'exposition à la moisissure constitue l'une des principales causes. De nombreuses études ont démontré un lien commun entre le SFC et l'exposition à la moisissure. Le livre *Prevention of Cancer*

– *Hope at Last*, publié récemment, présente quelques résultats fort intéressants sur la moisissure et sur son rapport avec le cancer du sein[5].

Souvenez-vous : toute personne se trouvant dans un milieu climatisé est exposée à la moisissure. Les jacuzzis, les maisons trop isolées, tout cela crée un environnement favorable au développement de la moisissure. La moisissure a pour effet de détruire un système immunitaire déjà affaibli.

4. Le traumatisme

Un événement traumatisant constitue un autre facteur fort commun chez les patients atteints du SFC. Il s'agit souvent de situations de stress importantes comme un divorce, une séparation ou la perte d'un être cher. Avant l'apparition du SFC, même un événement datant de deux ans, comme un accident de voiture, est tout à fait courant. Ces types de traumatisme mettent, sans contredit, le système immunitaire en péril.

5. L'hypoglycémie

Le chapitre 7 explique la relation qui existe entre le SFC et l'hypoglycémie. Pour l'instant, disons que l'hypoglycémie est difficile à diagnostiquer à moins d'être très grave. Voyez à ce que les tests standards soient effectués ; cependant, si vous êtes atteint du SFC, il vous faudra alors accepter le fait que vous soyez probablement également hypoglycémique.

6. Les parasites

L'analyse des matières fécales effectuée chez les patients atteints du SFC indique la présence de parasites dans les selles chez 80 % de ceux-ci (voir le chapitre 11, à la page 87)[6].

7. L'infection aux levures (*Candida*)

Il s'agit d'un autre problème difficile à diagnostiquer au moyen d'examens médicaux standards. Veuillez vous référer au chapitre 9 (page 77) traitant des infections aux levures pour savoir comment autodiagnostiquer cet état.

8. L'hypothyroïdie subclinique

Plus de 70 % des patients atteints du SFC sont hypothyroïdiens. C'est pourquoi je recommande d'utiliser du varech, une source naturelle d'iode, pour aider à remplacer la carence produite par un dysfonctionnement de la glande thyroïde.

9. L'hypotension artérielle

Ce problème est causé par une insuffisance de la glande surrénale et sera expliqué plus en détail ultérieurement dans cet ouvrage (voir le chapitre 5, à la page 55).

10. Les dommages causés aux globules rouges

L'examen au microscope de frottis sanguins frais révèle que la paroi cellulaire des globules rouges des patients atteints du SFC (plus de 90 % d'entre eux) est modifiée.

POURQUOI LE SFC EST-IL SI MÉCONNU ?

Il existe deux raisons qui nuisent à la notoriété du SFC :

- ce syndrome touche la plupart du temps des femmes (plus de 80 % des cas) ;
- la plupart des examens médicaux standards, y compris les résultats d'analyses sanguines, sont habituellement dans les limites normales.

Vous voyez la scène, maintenant ? Une femme se présente chez le médecin et se plaint de symptômes bizarres tels que des symptômes pseudo-grippaux et une fatigue intense. Le médecin lui fait suivre une batterie de tests et lorsqu'il reçoit les résultats, ces derniers sont dans les limites de la normale. Ainsi, il suppose que la personne atteinte du SFC est déprimée, car elle vit des problèmes conjugaux, des problèmes avec ses enfants, etc. Alors, le médecin prescrit des antidépresseurs et des somnifères avec, comme conséquence, l'établissement d'un cercle vicieux.

VOICI CE QU'IL FAUT FAIRE

Il faut d'abord essayer de trouver un médecin ayant une bonne compréhension du SFC ou qui, au moins, témoigne de l'empathie. Ne craignez pas de vous autodiagnostiquer une fois que le médecin a écarté toute autre maladie possible. N'oubliez pas, personne ne connaît mieux votre corps que vous-même. *Alors, réagissez.* Obtenez ensuite tous les renseignements possibles et exigez des réponses à vos questions. Je trouve très utile que les patients dressent une liste de questions avant de venir me rencontrer. Cela nous évite de nous écarter du sujet. Il arrive trop souvent, en raison de la nervosité et d'un oubli momentané, que le patient oublie de poser certaines questions aux professionnels de la santé. Il est donc important de les prendre en note et de s'assurer d'obtenir des réponses satisfaisantes.

LES RÉSULTATS CLINIQUES DU SYNDROME DE FATIGUE CHRONIQUE

La diminution du débit sanguin au cerveau

Les résultats des scintigraphies cérébrales (cette nouvelle technologie se traduit par l'utilisation de deux substances radioactives qui traversent la barrière hémato-encéphalique) indiquent une diminution du débit sanguin au cerveau chez les patients atteints du SFC[7]. Les régions atteintes comprennent la pensée et l'apprentissage.

Le Dr Les Simpson, de la Nouvelle-Zélande, laisse supposer que les globules rouges de la plupart des patients atteints du SFC présentent une déformation centrale. Cela aurait pour effet de diminuer l'alimentation en oxygène au cerveau[8].

La modification des longueurs d'ondes cérébrales dans le SFC

Myra Preston, chercheuse scientifique de Charlotte (Caroline du Nord, États-Unis), affirme que les types d'ondes cérébrales des patients atteints du SFC sont exactement l'opposé des types d'ondes cérébrales des personnes en santé. Lorsqu'une personne en santé est réveillée et « en fonction », le cerveau produit principalement une combinaison de particules alpha.

Le cerveau des patients souffrant du SFC semble confiné aux ondes thêta. Cela signifie simplement que le cerveau demeure « au neutre ». Par conséquent, le patient n'est jamais complètement réveillé et il est incapable d'utiliser ses facultés intellectuelles au maximum. Il ne peut pas non plus dormir profondément. Mme Preston a étudié les cas de 80 patients atteints du SFC et a découvert que 95 % d'entre eux présentaient ce type d'anomalie[9].

Voici les quatre types d'ondes cérébrales :

- les ondes alpha : liées à un état de calme et de repos ;
- les ondes bêta : liées au fonctionnement intellectuel ;
- les ondes thêta : liées à un état de somnolence avant de tomber endormi ;
- les ondes delta : liées au sommeil profond.

Il semble très évident que les patients atteints du SFC ont des lésions disséminées dans certaines parties du cerveau qui soient semblables à celles que l'on trouve chez les patients souffrant de sclérose en plaques[10].

RÉFÉRENCES

1 GOLSTEIN, J. «How Do I Diagnose a Patient With Chronic Fatigue Syndrome?», *The Clinical and Scientific Basis of Myalgic Encephalomyelitis, Chronic Fatigue Syndrome,* Nightingale Research Foundation, Ottawa, Canada, 1992.

2 SCHMIDT, M. *Tired of Being Tired, Overcoming Chronic Fatigue Syndrome and Low Energy,* Berkley, California, Frog Ltd., 1995.

3 OSTRUM, N. *50 Things You Should Know About the Chronic Fatigue Syndrome Epidemic,* New York, New York, St. Martin's Paperbacks, 1993.

4 ROSENBAUM, M. et M. SUSSER. *Solving the Puzzle of Chronic Fatigue Syndrome,* Tacoma, Washington, Life Services Press, 1996, p. 37.

5 COSTANTINI, A.V., D^r^, Dr H. WIELAND et Dr L. QVICK. *Prevention of Breast Cancer – Hope at Last,* Freiburg, Germany, Verlag Publishing, 1998.

6 ROSENBAUM, M. et M. SUSSER. *Op. cit.*

7 OSTRUM, N. *Op. cit.*

8 SIMPSON, L. «The Clinical and Scientific Basis of Myalgia Encephalomyelitis/CFS», *The Role of Nondescocytic Erythrocytes in the Pathogenesis of Myalgia Encephalomyelitis/CFS,* Ottawa, Canada, Nightingale Foundation, 1992.

9 OSTRUM, N. *Op. cit.*

10 ROSENBAUM, M. et M. SUSSER. *Op. cit.*

11 TODD, G. *Nutritional, Health and Disease,* Atglen, Pennsylvania, Schiffer Publishing, 1985, p. 50-55.

CHAPITRE 3

Les cellules, la clé de la vie

Afin de mieux comprendre les causes du syndrome de fatigue chronique, nous nous devons de bien saisir la nature fondamentale de la cellule. Il s'agit de site primaire du SFC. Pour améliorer l'état de santé malgré l'existence du SFC, il est nécessaire de tout savoir au sujet de la cellule. Si vous aidez vos cellules à redevenir en santé, ce sera tout votre corps qui redeviendra en santé puisque le corps est composé de cellules ; de fait, l'humain moyen compte environ 100 000 millions de cellules.

FIGURE 2

La cellule

DES CELLULES EN SANTÉ

Il existe quatre facteurs qui doivent travailler de pair et être équilibrés pour promouvoir un corps en santé:

1. *L'environnement des cellules*: vos cellules sont entourées d'un liquide (appelé «liquide interstitiel»). Comme ce liquide est essentiellement composé d'eau, je peux sans risque affirmer que la qualité de l'eau que vous buvez est cruciale pour l'environnement de vos cellules.
2. *La communication entre les cellules*: vos cellules communiquent et agissent de concert, en raison de la transmission qui existe entre les cellules et le cerveau. Si la transmission n'est pas claire, les cellules ne peuvent pas communiquer comme il se doit.
3. *L'exercice des cellules*: les muscles sont composés de cellules. Effectuer des sautillements est réellement un bon exercice pour les cellules, et cela peut en fait améliorer l'écoulement du liquide interstitiel entre les cellules. Cela entraîne également une meilleure circulation, ce qui influe sur tout le reste de la cellule.
4. *L'alimentation de la cellule*: pour fonctionner, la cellule a besoin d'éléments nutritifs. Vous êtes ce que vous mangez et ce que vous absorbez.

Chacun de ces quatre facteurs est sérieusement touché dans le cas de la fatigue chronique.

Une cellule saine doit être capable de réagir au stimulus, de maintenir un équilibre constant et de se reproduire. Même si elles diffèrent selon le type, de la plus petite cellule individuelle à l'organisme multicellulaire complexe comme l'être humain, leur structure de base change peu.

Toutes les cellules, par exemple, sont limitées par une véritable paroi cellulaire, qui est elle-même entourée d'une membrane extérieure. En termes simples, le contenu de la cellule est formé d'un noyau entouré d'un cytoplasme. Il y a quelques petits corps flottants dans le cytoplasme, comme les mitochondries, quelques hydrates de carbone complexes et des ribosomes. Évidemment, ces membranes sont toutes vitales pour la santé, mais la clé de la santé demeure l'acide désoxyribonucléique, dont les scientifiques du monde entier ont abrégé le nom pour l'ADN.

LA THÉORIE DU RADICAL LIBRE

Par le métabolisme normal ou l'exposition aux polluants, à la radiation et à certains médicaments, les molécules d'oxygène peuvent perdre un électron et devenir des particules instables appelées « radicaux libres ».

Lorsque la théorie du radical libre a été présentée par le Dr Denham Herman dans les années 1950, je ne crois pas qu'il ait été conscient de l'importance de sa découverte. Nous, Nord-Américains, souffrons de toutes sortes de choses et la majorité des maladies mortelles sont non virales et non bactériennes ; de nombreux membres de la communauté scientifique sont maintenant convaincus qu'ils ont découvert une cause simple (les radicaux libres), responsable des maladies mortelles comme les maladies cardiaques et le cancer. Cette cause entraînerait également d'autres problèmes de santé, par exemple le vieillissement prématuré et le syndrome de fatigue chronique.

Le Dr Cooper, auteur de l'ouvrage *The Antioxidant Revolution*[1], étudie les maladies qui, selon la recherche médicale, sont reliées à l'activité insidieuse des radicaux libres dans l'organisme. Je n'ai pas été du tout surpris de découvrir que cet ouvrage se lisait comme l'index d'une encyclopédie médicale. Le Dr Cooper mentionne plus de cinquante états, y compris les accidents vasculaires cérébraux, l'asthme, la pancréatite, les maladies intestinales inflammatoires (diverticulite, rectocolite hémorragique, ulcère gastroduodénal), l'insuffisance cardiaque globale chronique, la maladie de Parkinson, la drépanocytose, la leucémie, la polyarthrite rhumatoïde, l'hémorragie cérébrale et l'hypertension artérielle. Les radicaux libres sont également impliqués dans les cancers du poumon, du col de l'utérus, de la peau, de l'estomac, de la prostate, du côlon et de l'œsophage.

Les réactions en chaîne des radicaux libres

Cherchant à retrouver son équilibre, le radical libre prend un électron à une autre molécule, créant ainsi un nouveau radical libre. Comme chaque radical libre nouvellement généré cherche un électron de rechange, une réaction en chaîne se crée.

FIGURE 3

La réaction en chaîne

Atome d'oxygène normal

Perte d'un électron créant un radical libre

Si cette chaîne n'est pas brisée, elle peut compromettre l'intégrité de la membrane cellulaire, endommageant en bout de ligne la cellule.

FIGURE 4

Les dangers de l'oxydation

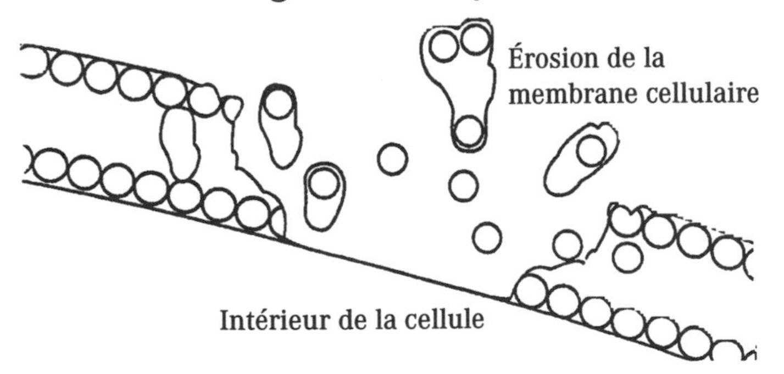

FIGURE 5

Les antioxydants neutralisent les radicaux libres

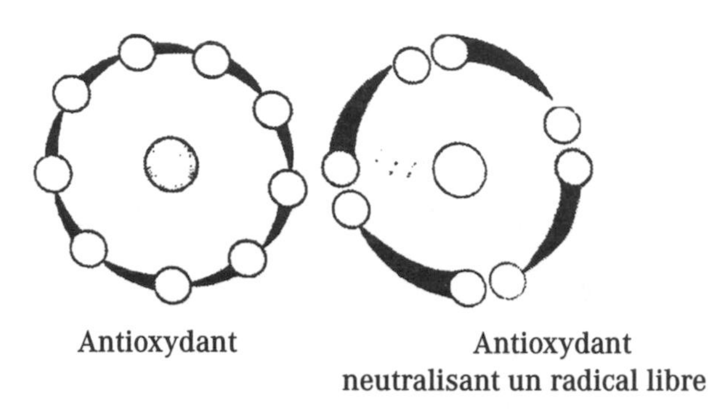

Antioxydant — Antioxydant neutralisant un radical libre

La structure moléculaire des antioxydants leur permet de céder des électrons aux radicaux libres sans toutefois les rendre instables eux-mêmes. Cela a pour effet de neutraliser les radicaux libres et de briser la chaîne de réactions.

L'OXYGÈNE, « LE SYNDROME DE JEKYLL ET HYDE »

Au cours de mes séminaires, je coupe une pomme en deux, puis je verse du jus de citron, une légère source de vitamine C antioxydante, seulement sur l'une des deux moitiés. Peu de temps après, on peut voir une différence importante entre les deux moitiés. *La moitié de la pomme qui a été protégée par un antioxydant est demeurée relativement blanche et indemne, tandis que l'autre moitié, qui est demeurée non protégée, s'est ratatinée et est devenue brune très rapidement.*

Bien qu'il s'agisse d'une version accélérée des ravages qu'engendrent les radicaux libres, c'est néanmoins une représentation précise de ce qui se produit dans notre organisme lorsque nous ne le protégeons pas. *Le coupable, c'est l'oxygène;* ce produit de la nature, que j'appelle «Jekyll et Hyde», est nécessaire à notre survie, mais il peut également causer notre mort.

FIGURE 6

Les moitiés de pommes

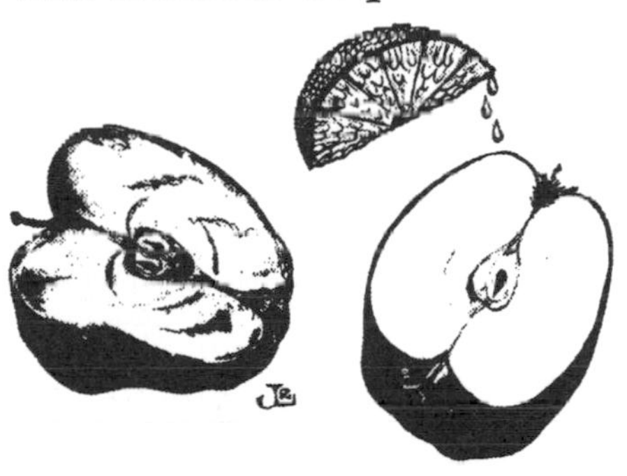

Lorsque l'oxygène est bien contrôlé, nous pouvons atteindre notre but ultime en prévenant le vieillissement prématuré des cellules et des maladies. Le problème réside dans le fait que l'oxygène inflige des dommages à notre organisme, sous la forme de radicaux libres. Cependant, les radicaux libres ne sont pas tous mauvais. Lorsqu'ils demeurent équilibrés dans l'organisme, ils l'aident à se désintoxiquer des produits chimiques étrangers, à combattre les infections et à favoriser la mitochondrie cellulaire, car les radicaux libres produisent de l'énergie. Mais à l'extérieur d'un environnement bien contrôlé, les radicaux libres détruisent les membranes cellulaires, les enzymes et la vie elle-même. De nombreux experts croient d'ailleurs que les radicaux libres constituent l'une des plus grandes menaces pour la santé publique[2].

On peut comparer les radicaux libres à un accident qui chercherait inlassablement un endroit où se produire. Toute bonne chose peut être mortelle, comme la vie. Ce n'est que lorsque nous exerçons un bon contrôle sur les radicaux libres que nous pouvons maintenir notre organisme en santé.

Voici une autre analogie que j'aime utiliser lors de mes séminaires : si vous vous achetez une voiture en 2000, en l'an 2003 ou 2004, presque inévitablement, vous commencerez à voir des points de rouille et une décoloration de la peinture, qui sont tous des signes d'oxydation de la carrosserie. En revanche, si vous appliquez une couche d'antirouille sur la partie intérieure de la carrosserie, vous la protégerez d'un vieillissement prématuré et vous préserverez ainsi votre investissement.

LES CELLULES SOUS L'ATTAQUE DES RADICAUX LIBRES

C'est en déchirant la paroi cellulaire que les radicaux libres deviennent dangereux pour la santé. Le contenu vital en chrome de la cellule peut s'échapper dans le sang, une des causes reconnues de diabète et de l'hypoglycémie chez les adultes. L'organisme peut également perdre du potassium et du magnésium cellulaire. Le sodium et le calcium peuvent s'infiltrer dans la cellule ; on a démontré d'ailleurs qu'il s'agissait là de la principale cause de l'hypertension. Les radicaux libres expulsent des ions vitaux et des produits chimiques de l'intérieur de la cellule et permettent l'entrée du sodium, du calcium et d'autres contaminants à l'intérieur de celle-ci ; le chrome, le potassium et le magnésium sont des éléments essentiels s'ils demeurent à l'intérieur de la cellule.

FIGURE 7

Des radicaux libres endommageant une cellule

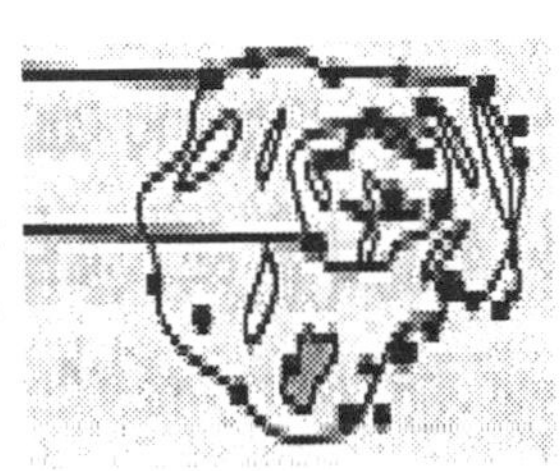

VIEILLIR AVEC ÉLÉGANCE

Ne devrions-nous pas tous faire un investissement à long terme pour nous protéger contre ces prédateurs que sont les radicaux libres ? Tout comme notre voiture qui ne peut durer éternellement, nous allons tous mourir un jour – c'est inévitable. Eh oui ! nous allons tous vieillir, nous ne pouvons contourner ce fait, mais il n'y a aucune raison que nous vieillissions prématurément. Les antioxydants, utilisés adéquatement, protégeront nos cellules et leur serviront d'« antirouille ».

FIGURE 8

Une barrière aux radicaux libres

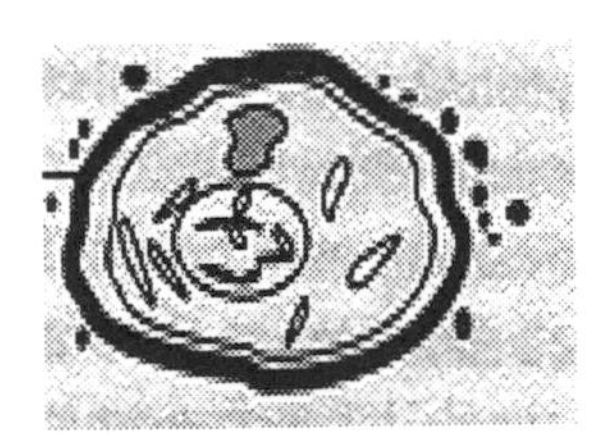

Le Pycnogénol^{MD}, une barrière antioxydante tenant les radicaux libres éloignés de la paroi cellulaire

La cellule, comme je l'ai mentionné précédemment, est l'unité de base de notre vie. Les radicaux libres qui ne sont pas contrôlés endommagent la paroi cellulaire et, par conséquent, attaquent la mitochondrie, entraînant des états comme celui du syndrome de fatigue chronique. S'ils ne sont pas freinés, les prédateurs peuvent éventuellement attaquer le matériel génétique à l'intérieur de la cellule (l'ARN et l'ADN).

À ce moment-là, les radicaux libres sont devenus meurtriers, ce qui amène les cellules endommagées à se multiplier de façon incontrôlable, puis à provoquer un cancer.

LE RAPPORT ENTRE LES RADICAUX LIBRES ET LE SFC

L'oxydation est provoquée par la perte d'électrons, ces fines particules d'énergie qui sont en mouvement perpétuel à l'intérieur des atomes et des molécules. Les êtres vivants vieillissent, meurent et se désintègrent parce qu'ils ne peuvent toujours contrôler cette perte d'électrons et l'énergie qui les habite. Qu'est-ce que cela entraînerait si leur fréquence était accélérée ? **DE LA FATIGUE !** C'est la même situation que lorsqu'un sprinter de niveau mondial s'effondre à la ligne d'arrivée et que cinq minutes plus tard, il récupère. Qu'est-ce qui surviendrait si cette perte d'énergie était accélérée chroniquement ? **DE LA FATIGUE CHRONIQUE !** Que se passerait-il si les radicaux libres normaux étaient impitoyablement surmultipliés par des déclencheurs allergiques (comme la moisissure), des produits chimiques, des antibiotiques, des pesticides et d'autres polluants, comme le stress, de mauvaises habitudes alimentaires, les aliments vides, une mauvaise condition physique ou même un excès d'exercice ? Une fatigue chronique implacable[3].

Le dommage causé par les radicaux libres déforme les membranes cellulaires des patients atteints du SFC. L'examen des globules rouges (effectué au moyen d'un microscope à haute résolution) chez les personnes souffrant de ce syndrome indique des malformations des membranes des globules rouges. On note également une perte d'élasticité normale des parois cellulaires pour plus de 80 % des cellules. Après un certain temps, le système immunitaire ne peut plus protéger adéquatement l'organisme contre l'attaque des bactéries, des virus et de toute autre chose pouvant normalement menacer l'organisme[5].

L'ATP

L'ATP, également appelé « adénosine triphosphate », est une substance à haute énergie produite par les mitochondries à l'intérieur des cellules. Les mitochondries sont nos « piles Eveready » qui produisent l'énergie des cellules. Lorsque les radicaux libres, causés par des facteurs nutritifs, environnementaux ou par de mauvaises habitudes de vie, abîment les mitochondries à l'intérieur des cellules – vous l'avez deviné –, nous manquons d'énergie.

↓ ATP = ↓ ÉNERGIE

QU'EST-CE QUE LE SYSTÈME IMMUNITAIRE ?

Le système immunitaire est le mécanisme de défense de notre organisme contre les agressions extérieures. Il nécessite des soins constants. Il doit s'alimenter de bonne nourriture, de bon air, de bonne eau et de bons exercices. La malnutrition endommage le système immunitaire plus que tout autre système dans l'organisme. Des agressions provenant d'un grand nombre de médicaments, de drogues pour usage récréatif et d'alcool ne font qu'aggraver le problème. La douleur chronique et les problèmes émotionnels, y compris l'anxiété, la dépression et le souci constant, exercent également une action sur ce puissant – mais fragile – système.

L'abus répété au fil des ans d'aliments hypercaloriques et riches en graisses consommés par les Occidentaux affecte graduellement leur système immunitaire. L'utilisation de la pilule anticonceptionnelle, de tranquillisants, l'exposition à des toxines environnementales comme le mercure de plomb, le cadmium, les pesticides dans les fruits et les légumes, contribuent également au déclin du système immunitaire. Le stress chronique s'ajoute à la liste des causes. Mais un stress massif et soudain comme un décès dans la famille, un divorce ou la perte d'un emploi est souvent le facteur déclencheur qui précipite le SFC.

Bien que le système immunitaire soit toujours une entité compliquée et, en partie, inexpliquée, nous en savons suffisamment pour avoir un aperçu remarquable de la capacité étonnante qu'a l'organisme de se protéger contre les infections. Le système immunitaire est composé de cellules à fonctions particulières. Normalement, le système immunitaire est capable de reconnaître et de réagir à des millions de différents *intrus étrangers*, appelés « antigènes ». *Un antigène est toute substance qui peut engendrer des anticorps.* Les premiers acteurs sont appelés « globules blancs ». L'organisme comprend des millions de globules blancs. La majorité d'entre eux sont emmagasinés dans des endroits comme la rate et les ganglions lymphatiques. Il existe *plusieurs types de globules blancs.* Les plus remarquables d'entre eux sont divisés en trois groupes, selon leurs fonctions. Il s'agit des cellules T, des cellules B et des macrophages.

La cellule T

Lorsqu'un virus pénètre dans l'organisme, c'est la cellule T (ou lymphocyte T) qui le reconnaît comme un antigène étranger. La cellule T est l'un des éléments les plus importants du système immunitaire. Lorsqu'une cellule T entre en contact avec cet antigène, elle demande du renfort en envoyant des signaux chimiques dans le sang. Un autre important type de cellule T, peut-être crucial, est appelé la **cellule tueuse naturelle** (cellule K ou *natural killer*). Les cellules K agissent comme prédateurs dans le système immunitaire. Chez les patients atteints du SFC et de fibromyalgie, les cellules K ne fonctionnent pas adéquatement.

La cellule B

La principale fonction de la cellule B (ou lymphocyte B) est de produire des protéines mortelles appelées anticorps. La cellule B produit des anticorps spécifiques servant à détruire des virus spécifiques. Cette mesure correctrice sert à deux choses : 1. s'assurer que ces puissants anticorps s'attaqueront seulement aux envahisseurs étrangers, et non aux cellules de l'organisme ; 2. constituer une mémoire permettant au système immunitaire de se souvenir d'un agent infectieux spécifique. Lorsque l'infection est terminée, le système immunitaire conserve ces anticorps spécifiques utilisés contre les envahisseurs. La fois suivante, les envahisseurs auront plus de difficulté à attaquer. Mais une cellule B ne pourrait pas produire suffisamment d'anticorps pour traiter des milliers de virus. Elle a besoin de l'aide d'un troisième type de globule blanc appelé « macrophage ».

Le macrophage

Le macrophage, le plus gros des globules blancs, exerce plusieurs tâches ; l'une des plus importantes consiste à détruire les virus en les avalant et en les engouffrant. Chez les personnes souffrant du SFC et de fibromyalgie, les macrophages sont incapables de s'acquitter de leur tâche proprement en raison des nombreux dommages causés par les radicaux libres sur une longue période.

Une machine impressionnante

Le corps humain est, heureusement, incroyablement adaptable. Cette faculté d'adaptation permet au système immunitaire de se défendre contre plusieurs types d'envahisseurs, comme les bactéries, les virus et les champignons. Toutefois, si l'équilibre est suffisamment ébranlé, le système immunitaire peut cesser de fonctionner ; ce dysfonctionnement peut varier en importance d'une personne à une autre, selon la résistance du système immunitaire avant l'invasion. Le système immunitaire peut également se tourner contre l'organisme lui-même. Lorsqu'il est ainsi désorienté et qu'il s'attaque à l'organisme, une *maladie auto-immune* peut se développer.

Lorsqu'une personne développe le SFC, le système d'autocontrôle à l'intérieur du système immunitaire sain est interrompu. Les cellules ne communiquent pas convenablement entre et elles ne savent pas comment réagir adéquatement contre les envahisseurs.

RÉFÉRENCES

1 COOPER, K. *The Antioxidant Revolution*, Thomas Nelson, Nashville, Tennessee, 1994.

2 ARSTILLA, A. « Pycnogenol®, – A Free Radical Terminator (FRT) in Humans », *The 2nd International Pycnogenol® Symposium*, Biarritz, France, M. W. International, 1995.

3 ALI, M. *The Canary and Chronic Fatigue*, Denville, New Jersey, Lifespan Press, 1995.

4 BARCZAK, C. « Live Blood Analysis », *Health Naturally Magazine*, August/September 1996, p. 27.

5 MARTIN, A. W. *Chronic Fatigue Syndrome, Free Radical Damage and Pycnogenol®*, Mandeville, Louisiana, Lasalle University, 1996.

CHAPITRE 4

Le rapport avec le stress

Le stress est l'une des principales causes de l'affaiblissement du système immunitaire.

Le stress extérieur

Différents éléments extérieurs peuvent induire un grand stress dans notre vie. Un travail difficile, un divorce, un mariage, la perte d'un être cher, un nouveau poste, un déménagement, une naissance, voilà quelques exemples d'événements qui peuvent augmenter notre niveau de stress de façon notable. Mais, en fait, ce n'est pas tant l'événement lui-même qui provoque cette tension, mais plutôt la façon dont nous le gérons, dont nous y faisons face. Une grande partie du stress « extérieur » provient de la façon dont nous percevons le monde, de la façon que nous interprétons ce qui nous arrive. Ce type de stress peut entraîner :

- une menace pour notre sécurité ;
- une détresse psychologique (agitation, colère, frustration, irritation, souci) ;

- des défis ;
- des confrontations ;
- des épreuves.

Le stress intérieur

Le stress peut également provenir du plus profond de nous-mêmes. Parmi les causes de stress les plus connues, on note :

- les malaises et les maladies ;
- la dépression ;
- la douleur ;
- l'inconfort.

Le stress intérieur – infections répétées, usage d'antibiotiques à long terme, soucis continuels ou angoisses incessantes – peut ralentir les mécanismes de défense du système immunitaire dans le cas du SFC. Le stress extérieur, comme un traumatisme à la suite d'un accident de voiture ou une douleur constante, peut mener à la fibromyalgie.

Tous ces facteurs de stress amènent le cerveau à envoyer des messages à deux régions de l'organisme : le premier à l'hypophyse ; le second au tronc cérébral et à la moelle épinière ; cela alerte plusieurs parties de l'organisme, y compris les glandes surrénales. Les signaux envoyés ont pour effet de produire des agents chimiques et des hormones. Deux de ces hormones de la glande surrénale (l'adrénaline et la noradrénaline) entraînent une réaction de combat ou de fuite. Cette hormone permet à l'organisme de se préparer physiquement à attaquer la source de stress ou à s'enfuir loin d'elle.

Lorsqu'elles sont libérées dans le sang, l'adrénaline et la noradrénaline stimulent le cœur, font monter la pression artérielle, envoient du glucose aux muscles et augmentent le taux de cholestérol. Lorsque l'organisme réagit normalement, l'adrénaline peut procurer une sensation de bien-être, de l'excitation ou de l'euphorie et peut même réduire le besoin de sommeil.

La glande surrénale sécrète également des hormones, comme l'hydrocortisone et la cortisone, qui aident à combattre la douleur et l'inflammation. Elle augmente le taux de glycémie, libère les acides gras et augmente la tension des muscles[1].

Faire continuellement renaître l'organisme

Lorsque vous laissez fonctionner un moteur pendant un certain temps, il est bon d'évacuer le taux de carbone et tout autre résidu non désiré qui s'est accumulé. Si ce moteur roule très longtemps, l'inverse se produit et la calamine recouvre les valves. Le moteur s'use alors beaucoup plus rapidement. Voilà un bon exemple de ce qu'un stress constant, comme la fatigue chronique, fait à l'organisme. Il épuise ! La fatigue chronique représente un stress intérieur que l'organisme ne peut arrêter. C'est la principale raison pour laquelle les patients atteints du SFC souffrent de fatigue débilitante, d'allergies, de troubles du sommeil, de désirs insatiables et de problèmes cognitifs. Il est impossible de vivre dans un état de crise constant sans qu'on s'en ressente physiquement. L'organisme récolte ce qu'il sème.

Lorsque le stress affaiblit ainsi le système immunitaire, d'autres systèmes de l'organisme emboîtent le pas et ne peuvent plus remplir leurs fonctions normalement. La plupart des patients atteints du SFC souffrent donc également d'un dysfonctionnement de la glande surrénale, d'hypoglycémie, d'hypothyroïdie, d'altérations des longueurs d'ondes du cerveau, d'infections à la levure et d'allergies. Chez les femmes, un déséquilibre œstrogénique et progesténogène peut entraîner les symptômes liés au syndrome prémenstruel (SPM) ou à la ménopause.

Le chapitre suivant traite du dysfonctionnement de la glande surrénale, qui constitue l'une des causes d'un organisme continuellement stressé. Ce chapitre explore les causes complexes, les profonds retentissements sur les cellules et, enfin, le rendement total de l'organisme, ce qui nous permettra d'en savoir un peu plus sur cette maladie si complexe. Il n'est donc pas surprenant qu'une personne atteinte du syndrome de fatigue chronique se sente tout le temps malade et fatiguée.

RÉFÉRENCES

1 HART, A. *The Hidden Link Between Adrenalin and Stress*, Dallas, Texas, Word Publishing, 1991, p. 3-15.

CHAPITRE 5

Le rapport avec les glandes surrénales

Les glandes surrénales sont situées sur le sommet des reins. Elles sécrètent des hormones clés du stress, comme l'hydrocortisone, le DHA et l'adrénaline. Chez les patients atteints du SFC, ces hormones atteignent souvent des niveaux anormaux; on parle alors de « réaction de stress continuelle ». Ces hormones peuvent influencer plusieurs fonctions de l'organisme, de la réaction immunitaire au genre de sommeil du patient.

Lorsque l'organisme sécrète anormalement des hormones, il peut en résulter de la fatigue et des douleurs musculaires. Les agents stressants qui mettent à l'épreuve les glandes surrénales sont :

- le traumatisme physique;
- la mauvaise alimentation;
- le manque de sommeil;
- le traumatisme émotionnel;
- les médicaments sous ordonnance;

- les toxines chimiques ;
- les exercices excessifs ;
- les infections ;
- l'angoisse ;
- la dépression ;
- la grossesse.

Les signes et les symptômes de glandes surrénales surmenées sont :

- la fatigue ;
- l'irritabilité ;
- l'incapacité à se concentrer ;
- la frustration ;
- l'insomnie ;
- les fringales fréquentes ;
- les allergies ;
- la nervosité ;
- la dépression ;
- la faiblesse et les étourdissements ;
- le syndrome prémenstruel ;
- les maux de tête.

FIGURE 9

L'emplacement des glandes surrénales

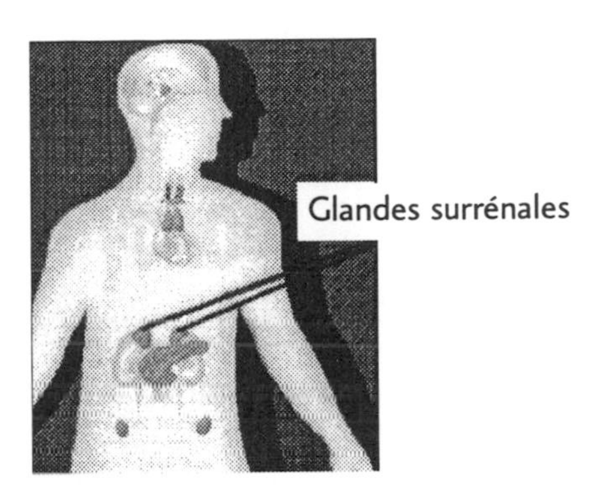

Le SFC et l'hypotension artérielle causés par une insuffisance surrénale

Des chercheurs du John Hopkins Children's Centre ont découvert un rapport entre l'hypotension (baisse de la tension artérielle) et les symptômes du SFC[1]. Lors d'une étude, les scientifiques ont observé que quatre adolescents sur sept, âgés entre douze et seize ans, présentaient une amélioration rapide de leur fatigue chronique lorsque leur hypotension artérielle était traitée par l'aténolol ou le disopyramide pour étourdissements.

Les glandes surrénales travaillent à contrôler la pression artérielle en sécrétant de la cortisone et de l'adrénaline. La cortisone déclenche une rétention hydrosodée dans l'organisme, alors que l'adrénaline entraîne une constriction des artères. Une insuffisance surrénale ou l'épuisement causé par un stress physique excessif, chimique ou émotionnel (comme il est courant chez les patients atteints du SFC) amène les parois des vaisseaux sanguins à se desserrer et à devenir flasques. Une personne peut se sentir étourdie et souffrir de lipothymie (état de malaise caractérisé, entre autres, par une sudation excessive, de la faiblesse, des troubles visuels) lorsqu'elle se lève trop vite en raison d'une chute de la pression artérielle et d'un ralentissement du débit sanguin au cerveau. Il s'agit d'un problème courant chez les patients atteints du SFC.

Plusieurs membres de l'industrie des aliments naturels et des suppléments alimentaires connaissent le rapport qui existe entre le régime alimentaire et l'épuisement surrénalien. Ils savent qu'une trop grande consommation de glucides raffinés a un effet indésirable sur les mécanismes servant à contrôler la glycémie, ce qui oblige les glandes surrénales à compenser pour l'hypoglycémie qui en résulte. La caféine et les autres stimulants forcent les glandes surrénales à travailler davantage et, tôt ou tard, les épuisent. Ces substances doivent être évitées afin de permettre aux glandes surrénales épuisées de récupérer. Des aliments à haute valeur nutritive de concert avec des suppléments appropriés nourrissent et alimentent les glandes surrénales, sans les épuiser. Les éléments nutritifs qui ont une importance spéciale pour les glandes surrénales sont la vitamine B (particulièrement l'acide pantothénique ou vitamine B_5), la vitamine C, le magnésium, le potassium, la tyrosine et la phénylanoline. La tyrosine et la phénylanoline sont transformées en hormones thyroïdiennes et surrénaliennes.

La fatigue chronique est, en fait, l'un des plus grands signes d'insuffisance surrénalienne. À la suite d'un stress, les glandes surrénales produisent du DHA et de l'hydrocortisone. Ces deux hormones ont des effets prévisibles sur le métabolisme du corps humain ; lorsque l'organisme est en santé, le rapport entre les deux est optimal. L'hypothalamus et l'hypophyse, deux parties du cerveau, sont sensibles à la quantité d'hydrocortisone circulant dans le sang. Lorsque l'hydrocortisone atteint un certain niveau, l'hypothalamus et l'hypophyse sont convenablement ajustés. Cependant, certains facteurs peuvent surcharger ce système. Lors d'un stress chronique, un excès d'hydrocortisone est souvent produit. De plus, l'hypothalamus et l'hypophyse peuvent devenir moins sensibles aux changements et ne pas arrêter la production d'hydrocortisone comme ils le devraient.

Lorsque cela se produit, une série de problèmes peuvent survenir, tels l'affaiblissement du système immunitaire, la régulation déficiente de la glycémie, l'accumulation des graisses et des changements de comportement. Si le stress chronique persiste, l'hydrocortisone est alors produite en plus grande quantité et le DHA en plus petite quantité, ce qui entraîne des effets néfastes croissants pour la santé. Entre-temps, l'épinéphrine (ou adrénaline) est produite en grande quantité, entraînant d'autres conséquences négatives.

Les glandes surrénales sécrètent cette chaîne d'hormones dans une symphonie complexe qui est orchestrée par le cerveau (hypothalamus et hypophyse). Lorsque le stress et une mauvaise alimentation causent un déséquilibre hormonal, un déséquilibre des fonctions endocrines peut mener à une fatigue importante. La seule solution semble être la maîtrise du stress associée à une thérapie biochimique.

Il n'est donc pas surprenant qu'une personne atteinte du syndrome de fatigue chronique se sente toujours malade et fatiguée.

RÉFÉRENCES

1 BABAL, K. « Chronic Fatigue Syndrome – The Nutritional Approach », *Health and Healing*, Fall 1995, p. 6-7.

CHAPITRE 6

Le rapport avec la dépression

La dépression représente bel et bien l'un des symptômes du syndrome de fatigue chronique; toutefois, elle nc survient qu'**après** l'apparition du SFC. Qui ne serait pas déprimé si sortir du lit le matin lui demandait un effort ultime?

Au cours des centaines d'entrevues que j'ai accordées à la radio et à la télévision, on m'a posé maintes fois cette question: «Comment se sent-on lorsqu'on est atteint de fatigue chronique?» Je reporte alors l'auditoire à la dernière fois où ils ont eu une grippe. Je leur demande ensuite: «Comment vous sentiriez-vous si vous aviez une grippe qui ne guérit jamais? Eh bien! c'est de cette façon que les personnes atteintes de ce syndrome se sentent – aux prises avec une grippe qui ne guérit pas!» Il n'est donc pas surprenant qu'une personne souffrant du SFC soit déprimée.

Certains médecins «préhistoriques» croient encore que la principale cause du SFC est la dépression. Ces médecins doivent prendre conscience qu'ils abusent gravement de ce diagnostic erroné et qu'ils calomnient littéralement des milliers de femmes et d'hommes en Amérique du Nord. La dépression, qui ne survient donc qu'après l'apparition du SFC, provoque chez les patients des sentiments ou des sensations d'*épuisement,* d'*inutilité,* d'*impuissance* et de *désespoir.* S'ils étaient capables de pleurer, ils en ressentiraient une grande délivrance, mais *ils se sentent incapables de laisser aller leurs émotions, spécialement leurs larmes.* Ce genre de *pensées et de sentiments négatifs* amènent certaines personnes à vouloir tout abandonner. Ces points négatifs font partie de la dépression et ne reflètent généralement pas adéquatement leur situation.

Avant de traiter un patient pour dépression, il est important de l'examiner de façon approfondie en vue de poser un bon diagnostic. De récentes études du Department of Health and Human Services des États-Unis indiquent d'ailleurs qu'entre *12 et 36 % des patients de psychiatres sont traités pour des troubles mentaux dont ils ne souffrent pas*[1, 2] !

RÉFÉRENCES

[1] RONA, Z. « Overlooked Causes of Chronic Fatigue », *Health Naturally*, Feb./March 1996, p. 7-9.

[2] GOLDBERG, B. *Chronic Fatigue, Fibromyalgia and Environmental Illness*, Tiburon, California, Future Medicine Publishing, 1998.

CHAPITRE 7

Le rapport avec l'hypoglycémie

L'hypoglycémie et la fatigue chronique vont de pair. J'ai, de fait, rarement traité une personne atteinte du SFC qui ne souffrait pas d'hypoglycémie. Les cellules de l'organisme sont si endommagées en raison d'un stress continuel (allergies, problèmes surrénaliens, troubles thyroïdiens et dépression) que ce qui devrait être à l'intérieur de la cellule s'est échappé (le chrome) et ce qui devrait être à l'extérieur de la cellule a été absorbé.

Mais qu'est-ce, en fait, que l'hypoglycémie ? C'est simplement une diminution du taux de sucre (ou glucose) dans le sang. L'Américain moyen mange 67 kg de sucre par année. L'organisme ne peut gérer les sucres concentrés qui constituent souvent une grande partie de notre alimentation. Le pancréas réagit outre mesure en produisant trop d'insuline. Cela a pour effet d'éliminer de façon exagérée le glucose dans le sang. Cette diminution du taux de glucose sanguin a des répercussions sur le cerveau et le système nerveux[1].

Avez-vous le profil d'une personne souffrant d'hypoglycémie ? Voici les réactions corporelles que cette dysfonction entraîne :

1. le taux de glycémie augmente rapidement ;
2. le pancréas sécrète un excès d'insuline ;
3. le taux de glycémie baisse alors rapidement, en raison d'un surplus d'insuline ;
4. les glandes surrénales transforment le glycogène en glucose en cas d'urgence ;
5. les glandes surrénales ne fonctionnent pas convenablement et ne savent pas quand elles doivent se mettre au repos ;
6. l'organisme a un besoin urgent de sucre ;
7. une mauvaise alimentation combinée à des aliments à haute teneur en sucre est avalée ;
8. le taux de glycémie augmente rapidement et le cycle recommence ;
9. ce cercle vicieux se répète plusieurs fois par jour.

La personne hypoglycémique mange du sucre, mais après l'ingestion, son taux de glycémie monte, puis atteint rapidement son plus bas niveau parce que le pancréas a trop produit d'insuline. L'organisme demande plus de nourriture, mais il est nourri de mauvais aliments (sucres concentrés) qui relancent le cycle de l'hypoglycémie.

LES SYMPTÔMES DE L'HYPOGLYCÉMIE

Les épisodes hypoglycémiques peuvent provoquer presque tous les troubles neurologiques et mentaux. Les symptômes les plus courants de l'hypoglycémie sont:

- la fatigue, l'épuisement, les maux de tête;
- l'irritabilité, l'insomnie, l'hyperactivité chez les enfants, les problèmes de comportement, les sautes d'humeur;
- l'eczéma, l'urticaire, les sinusites;
- la nervosité, l'angoisse, la dépression, des crises de larmes, de la crainte, des changements de personnalité;
- l'incapacité de se concentrer, les trous de mémoire, la confusion, les périodes de somnolence prolongées;
- les sentiments de faiblesse, les étourdissements, les tremblements, les sueurs froides, la rétention d'eau;
- les palpitations et un rythme cardiaque irrégulier;
- les frissons, l'essoufflement, l'asthme, le rhume des foins;
- les troubles digestifs (colite, diarrhée, maux d'estomac);
- la vision trouble, l'extrémité des membres froide;
- le besoin urgent de sucré, d'alcool, de caféine ou de boissons gazeuses;
- le gain de poids incontrôlable;
- les crises d'épilepsie, les convulsions.

LA DÉTECTION DE L'HYPOGLYCÉMIE

Aucun point ne devrait se trouver sous la ligne de base. Le niveau de la première heure devrait s'élever à au moins

50 % au-dessus de la valeur à jeun. Au cours d'un test de détection de l'hypoglycémie, le patient doit avaler 100 g de sucre (glucose) après un jeûne de 12 heures. Une analyse du sang est effectuée juste avant que le glucose soit ingéré, puis toutes les heures pendant six heures.

Dans le graphique ci-dessous, le chiffre 0 est utilisé comme ligne de base pour l'analyse du sang de six heures. Le test est effectué dans des conditions idéales et celles-ci ne reflètent pas la vie de tous les jours. Une hypoglycémie légère peut être observée occasionnellement, mais si la personne subit un stress constant, ses glandes surrénales en sont affectées, ce qui induit une baisse draconienne du taux de sucre.

FIGURE 10

La réponse normale au test de l'hyperglycémie provoquée

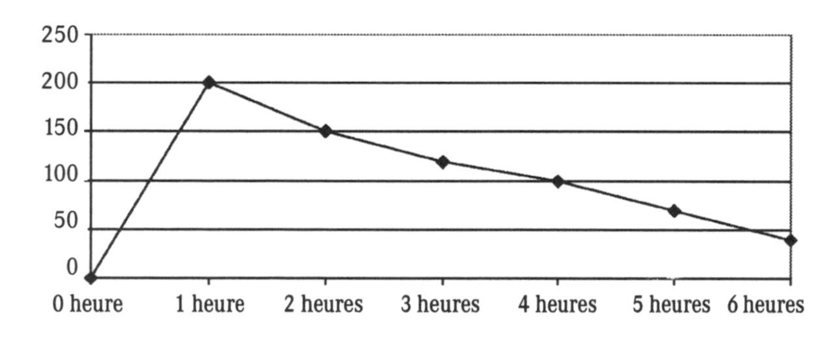

Le graphique à la page suivante montre les résultats d'une personne souffrant légèrement d'hypoglycémie. Lors de cas plus graves, le taux de glycémie des trois heures est déjà sous la ligne de base 0. Il se peut également que le taux de glycémie descende sous la ligne de base 0 par seulement 1 ou 2 points. Dans la figure 11, le taux de glycémie descend sous la ligne de base 0; à la cinquième heure, le taux de glycémie est à −10 et pour la sixième heure, il est à −20. À ce moment-là, la personne ressent tous les symptômes de l'hypoglycémie, et le cercle vicieux commence.

FIGURE 11

La réponse chez une personne souffrant d'hypoglycémie

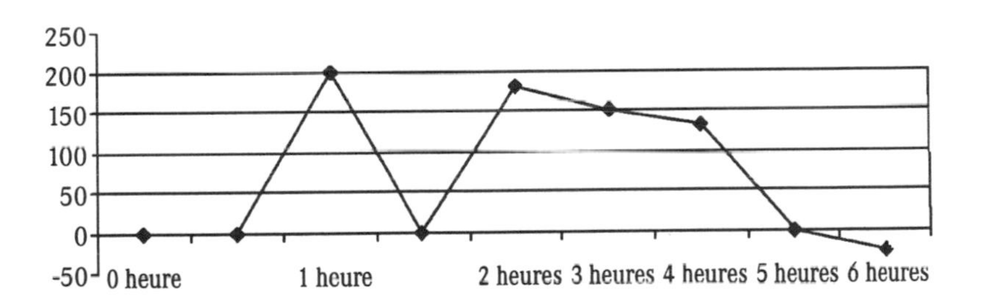

La croissance de levures (*Candida albicans*) dans l'estomac ou les allergies alimentaires peuvent amplifier les symptômes de l'hypoglycémie. Le cancer adore également se nourrir de sucre.

Il n'est pas surprenant qu'une personne atteinte du syndrome de fatigue chronique se sente toujours malade et fatiguée.

RÉFÉRENCES

1 DONSBACH, K. *Hypoglycemia and Diabetes*, Santa Monica, California, Rockland Corp., 1993.

CHAPITRE 8

Le rapport avec les allergies

Je crois qu'il est rare qu'une personne atteinte du syndrome de fatigue chronique ne souffre pas d'un quelconque type d'allergie. Une allergie est une réaction défavorable du système immunitaire à une substance, à un aliment ou à l'environnement (un pollen ou un acarien qu'on respire, par exemple) qui n'affectent pas la plupart des gens. Leon Chaitow, N.D., D.O., de Londres (Angleterre), effectue des recherches sur les allergies depuis de nombreuses années et il a découvert qu'un certain nombre de facteurs avaient un impact négatif sur le système immunitaire. Ces facteurs incluent les déchets toxiques causés par la pollution sous toutes ses formes[1].

LES ALLERGIES ALIMENTAIRES CACHÉES OU « MASQUÉES »

L'allergie alimentaire est la réaction du système immunitaire à un certain aliment. L'histamine et d'autres agents chimiques (appelés « médiateurs ») sont alors libérés de différentes cellules à l'intérieur de l'organisme. Huit types d'aliments sont la cause de 90 % des réactions alimentaires. Il s'agit du lait, des œufs, du blé, des arachides, du soya, des noix, du poisson et des fruits de mer.

Dans le cas des allergies alimentaires masquées, l'organisme compense par une dépendance de l'aliment en cause. Les personnes sont allergiques à un aliment ingéré, mais l'organisme en redemande. Autrement dit, la nourriture dont nous avons une réelle envie nous rend malade. La meilleure façon de connaître ses allergies est d'éliminer un aliment qu'on mange chaque jour. Il peut s'agit du beurre d'arachide ou des œufs, par exemple. Il faut éviter d'en manger pendant trois semaines ; c'est la période dont l'organisme a besoin pour l'éliminer totalement. Après cette période, on peut manger tout ce dont on s'est abstenu ; les symptômes allergiques peuvent se manifester dans les minutes suivantes ou jusqu'à une heure après l'ingestion de l'aliment.

Les diverses répercussions des allergies alimentaires

L'anémie, la dépendance (à l'alcool, aux aliments ou aux drogues), la fatigue, les fibromes utérins, la fibrose kystique, les pathologies mammaires, le cancer et les maladies auto-immunes représentent seulement quelques-uns des domaines auxquels les chercheurs spécialisés dans les allergies s'intéressent. Les *yeux* peuvent également être touchés ; on remarque des douleurs aux yeux, des démangeaisons, une sensibilité à la lumière, une vision trouble, des paupières bouffies, des ecchymoses autour de l'orbite de l'œil, des yeux rouges, injectés de sang et des clignements continuels.

Les symptômes allergiques de l'organisme et de l'appareil digestif

Les allergies peuvent provoquer des troubles gastro-intestinaux comme des brûlures d'estomac, une indigestion, des ballonnements, des gaz passagers, des douleurs abdominales, des crampes, de la diarrhée ou de la constipation[2]. Les allergies alimentaires sont l'une des causes de la prise de poids chez les personnes atteintes du SFC. La chose la plus facile à faire pour l'organisme, lorsqu'il entre en contact avec un aliment dont il est allergique, est de l'emmagasiner comme gras.

En fait, la plupart des personnes ignorent même qu'elles souffrent d'allergies. Si vous sentez que vous devez vous étendre après avoir mangé un aliment pour le digérer ou si vous souffrez de spasmes intestinaux et du syndrome du côlon irritable, vous devriez peut-être songer aux allergies alimentaires.

Une mauvaise utilisation des antibiotiques peut également entraîner le développement d'allergies alimentaires. Un grand pourcentage des patients souffrant de fatigue chronique ont un historique de traitement répété aux antibiotiques, alors qu'ils étaient enfants et adultes.

Les allergies alimentaires et le système cardiovasculaire

Les pulsations cardiaques rapides, les palpitations, les extrasystoles (contractions cardiaques suivies d'une pause), les douleurs thoraciques, les bouffées congestives, les frissons, les bouffées de chaleur, les sueurs nocturnes, l'hypertension ou l'hypotension artérielle peuvent tous être liés à d'autres maladies que le syndrome de fatigue chronique.

Des médicaments peuvent donc être prescrits pour des maladies spécifiques; après un certain temps, comme le diagnostic de départ est erroné, il n'y a évidemment pas d'amélioration visible, ce qui entraîne la prescription d'autres médicaments. La personne doit ensuite vivre avec tous les effets secondaires de ces médicaments, en plus du problème sous-jacent qui n'a pas encore été résolu.

LES ALLERGIES ET L'APPAREIL RESPIRATOIRE

Les allergies peuvent également toucher l'appareil respiratoire sous la forme de rhumes, d'éternuements, de toux ou de respiration sifflante, de toux nocturne, d'asthme, d'essoufflement, de bronchite ou d'emphysème.

Les allergies causées par l'environnement

De nombreuses maladies chroniques sont le résultat d'habitudes de vie et d'une exposition à une variété de substances que nous trouvons dans les endroits où nous vivons, travaillons et dans la nourriture que nous mangeons. Les personnes souffrant d'allergies environnementales peuvent présenter des maladies multisystémiques. Les symptômes physiques et mentaux peuvent laisser la personne en piètre état pour toute sa vie. Malheureusement, souvent ces symptômes ne sont pas pris en considération et sont traités comme des maladies psychosomatiques. Plus le patient accumule de symptômes, moins le médecin croit que ses plaintes sont légitimes. Il peut exister des signes et des symptômes physiques et psychologiques induits par l'environnement du patient, que ce soit à la maison, au travail ou à l'école, ou encore par les différentes saisons ou l'alimentation. En voici quelques exemples:

- hyperactivité après un dîner ou un souper copieux (régime alimentaire, allergies) ;
- fatigue et somnolence trente minutes après les repas (régime alimentaire, allergies, hypoglycémie) ;
- fréquentes maladies des voies respiratoires supérieures (régime alimentaire, allergies) ;
- fréquents problèmes urinaires (régime alimentaire, *Candida*) ;
- dépression (régime alimentaire, exposition à de la moisissure ou à des produits chimiques) ;
- irritation aux yeux et à la gorge, problèmes respiratoires, manque de concentration, fatigue après des travaux de rénovation, l'achat de nouveaux tapis, de nouveaux meubles, etc. (exposition à des produits chimiques).

RÉFÉRENCES

1 MILLER, B. *Understanding Chronic Fatigue Syndrome*, Dallas, Texas, BMC, 1991.

2 SCHMIDT, R. *Tired of Being Tired – Overcoming Chronic Fatigue and Low Energy,* Berkeley, California, Frog Ltd., 1995.

CHAPITRE 9

Le rapport avec les levures (*Candida albicans*)

Quiconque souffre du syndrome de fatigue chronique souffre très probablement d'une infection à *Candida*[1]. *Candida* est le nom que portent différentes espèces de levures. L'une des levures pathogènes les plus courantes dans l'organisme se nomme *Candida albicans*. Normalement, des bactéries non pathogènes en restreignent la croissance. Lorsque l'équilibre existant entre toutes ces levures est rompu, *Candida albicans* se multiplie. Au fur et à mesure que son nombre croît, la levure normalement inoffensive se change en champignons et libère des toxines dans le sang, ce qui entraîne les effets pathologiques de l'infection à *Candida*.

Une personne qui se nourrit mal, qui mange du sucre en grande quantité, qui prend des antibiotiques ou qui modifie sa chimie corporelle en prenant des pilules anticonceptionnelles, offre un environnement parfait à la multiplication de cette levure. Il est bien connu que les antibiotiques, pris particulièrement pendant un certain temps ou à répétition, élimineront une bonne partie des microbes de la flore normale du tube digestif. À la suite de l'élimination de la protection de la flore bactérienne normale, les champignons ont le champ libre pour se propager de façon excessive dans le tube digestif. Les médecins prescrivant de plus en plus d'antibiotiques oraux, la prolifération de *Candida* dans l'intestin est devenue un problème courant.

UN SIGNE ÉLOQUENT

Vous êtes-vous déjà demandé pourquoi tant de personnes semblaient souffrir récemment du syndrome de fatigue chronique de concert avec le syndrome du côlon irritable? Voici quelques éléments explicatifs. Il est maintenant connu que tout le tube digestif est enveloppé d'une mince couche de bactéries vivantes. Ces « bactéries non pathogènes » forment une structure vitale appelée « pâte anaérobie », qui crée une barrière protectrice. Cette barrière peut être détruite par les antibiotiques, les aliments vides, la drogue, l'alcool et les obturations au mercure. Cette barrière conserve les bons nutriments dans le tractus intestinal et débarrasse les intestins des déchets. On soupçonne le *Candida* de jouer un rôle dans la création de ce qu'on appelle le « tube digestif partiellement fonctionnel » (voir à la page suivante), une augmentation excessive de la perméabilité intestinale[2]. Cela signifie simplement que le tube digestif contient des matières toxiques et que, normalement, l'organisme érige une barrière afin que les toxines ne puissent s'infiltrer dans le courant sanguin; cependant, avec un « tube digestif partiellement fonctionnel », les particules d'aliments macromoléculaires non digérées et les toxines peuvent passer directement dans le sang en pénétrant la paroi intestinale, ce qui entraîne une quantité de problèmes.

Les autres affections pouvant être associées au « tube digestif partiellement fonctionnel » sont la maladie de Crohn, le syndrome du côlon irritable, la diarrhée, le choléra, l'hépatite, la fibrose kystique du pancréas, la sensibilité aux produits chimiques, les maladies environnementales, l'hyperactivité, la maladie intestinale inflammatoire et l'alcoolisme.

LE TUBE DIGESTIF PARTIELLEMENT FONCTIONNEL

On a découvert que la levure *Candida* produisait 79 toxines différentes... et bien des ravages au système immunitaire. Certains professionnels de la santé déclarent aux personnes atteintes du *Candida* qu'elles sont tout simplement devenues sensibles à l'environnement, ce qui a entraîné chez elles des réactions allergiques à différents allergènes « inoffensifs » de l'air ambiant aussi bien qu'à divers aliments. En réalité, ces réactions n'engendrent pas de symptômes allergiques typiques.

En raison de l'effort que doit faire le système immunitaire pour détruire ces molécules non digérées, la capacité de l'organisme à se défendre contre le *Candida* peut, par la suite, être affaiblie, créant un cycle. Ces particules peuvent également s'infiltrer dans la barrière hémato-encéphalique et produire des symptômes mentaux qui peuvent donner un mauvais diagnostic de troubles reliés à la névrose. La personne peut même être orientée vers un psychiatre pour sa « condition névrotique » en raison de l'échec de la science moderne à poser un diagnostic physiologique.

On effectue présentement des recherches, entre autres au National Institute for Health, sur le cycle de la levure

Candida. Le syndrome du *Candida* réunit une série de symptômes vagues, quelquefois sans rapport en apparence. Les analyses de sang courantes ne révèlent généralement rien d'inhabituel.

LES SYMPTÔMES D'UNE INFECTION À *CANDIDA ALBICANS*

Voici les principaux symptômes observés chez les patients souffrant d'une infection à levures.

- **Le système nerveux**: dépression ou maladie affective bipolaire, crise d'angoisse ou de larmes, sautes d'humeur soudaines, manque de concentration, somnolence, trous de mémoire, maux de tête, étourdissements, insomnie, fatigue ou sentiment d'épuisement.
- **L'appareil digestif**: ballonnements, douleurs et gaz, indigestion, brûlures d'estomac, constipation, diarrhée, gastrite, intolérance aux produits laitiers, au blé, au maïs et à d'autres aliments courants.
- **L'appareil génito-urinaire**: infections fréquentes de la vessie, brûlures mictionnelles ou besoin urgent d'uriner, cystite, brûlures vaginales ou démangeaisons, crampes menstruelles.
- **L'appareil locomoteur**: gonflement articulaire ou musculaire et douleurs, faiblesses musculaires, mains et pieds froids ou température corporelle basse.
- **La bouche et la gorge**: saignement des gencives, sécheresse de la bouche et de la langue, langue fissurée, muguet blanc, taches dans la bouche, mauvaise haleine, mal de gorge, laryngite, toux ou bronchites à répétition, douleur ou oppression thoracique, respiration sifflante ou essoufflement.

- **La peau** : urticaire, pied d'athlète, infection mycosique des ongles, dermatite causée par un champignon, psoriasis, éruption cutanée chronique.

Il n'est pas surprenant qu'une personne atteinte du syndrome de fatigue chronique se sente toujours malade et fatiguée.

RÉFÉRENCES

1 DONSBACK, D. et M. ALSLEBEN. *Systemic Candidiasis and CFS*, Santa Monica, California, Don *et al.*, 1992.

2 CULBERT, M. *CFS Conquering the Crippler*, San Diego, California, C and C Communications, 1993.

CHAPITRE 10

Le rapport avec le cancer

Le cancer est un trouble caractérisé par un système immunitaire affaibli et par la prolifération incontrôlée de cellules, provoquée par les radicaux libres sur une période prolongée[1]. Et devinez quelle est la similitude entre le SFC et le cancer ? Un système immunitaire affaibli et la prolifération incontrôlée de cellules causée par les radicaux libres sur une période prolongée !

LES CELLULES SAINES DEVIENNENT MALADES

L'organisme se fait continuellement attaquer par des cellules cancéreuses. Même lorsque nous avons le meilleur régime alimentaire qui soit, notre système digestif produit des métabolites, parmi lesquels on compte les radicaux libres. D'autres fonctions métaboliques dans notre organisme produisent aussi des radicaux libres.

Nos cellules saines se font constamment attaquer par ces radicaux libres qui tentent de changer notre ADN ; lorsque cela se produit, les cellules saines se transforment ensuite en cellules cancéreuses. Quand notre système immunitaire ne peut contrôler la situation, ces cellules cancéreuses prolifèrent, entraînant la création d'une tumeur[2].

QUINZE ANS – CINQ CENTS CAS

J'étudie la fatigue chronique depuis de nombreuses années, et c'est sur cette base que j'aimerais vous donner un avertissement. Une femme qui souffre du SFC court presque deux fois plus de risque de développer un cancer du sein ou du côlon que la majorité des femmes. Alors ATTENTION ! La fatigue chronique peut littéralement tuer si elle n'est pas traitée convenablement. Maintenant, j'appelle d'ailleurs le SFC la maladie du *précancer*.

L'ESSENTIEL

Voici ce qu'il faut faire pour prévenir le cancer :

- réduire sa consommation de viande et de produits laitiers ;
- prendre une dose quotidienne d'antioxydants (comme le Pycnogénol) et du bêta-carotène ;
- boire beaucoup d'eau pure filtrée ;
- augmenter sa consommation quotidienne de fruits et de légumes ;
- arrêter de fumer et réduire autant que possible l'exposition à la fumée ;
- se protéger adéquatement contre le soleil ;
- faire de l'exercice régulièrement – au moins 5 fois par semaine ;

- augmenter sa consommation de fibres ;
- réduire la consommation de caféine ;
- adopter un état d'esprit positif – par exemple, commencer sa journée en priant et en lisant la Bible ou un texte spirituel inspirant pour se guider et se réconforter dans ce monde un peu fou ;
- point particulièrement important pour les femmes : s'assurer de ne jamais faire d'infection à levures ni de parasitose.

RÉFÉRENCES

1 COOPER, K. *The Antioxidant Revolution*, Nashville, Tennessee, Thomas Nelson, 1994.

2 TODD, G. *Nutritional, Health and Disease*, Atglen, Pennsylvania, Schiffer Publishing, 1985.

3 MARTIN, A. W. «Chronic Fatigue Syndrome», *Free Radical Damage and Pycnogenol®*, Mandeville, Louisiana, Lasalle University, 1996.

CHAPITRE 11

Le rapport avec les parasites

La personne atteinte du syndrome de fatigue chronique est particulièrement exposée à une invasion de parasites en raison de l'affaiblissement de son système immunitaire et de la réduction des mécanismes de défense de son organisme. Il est donc très facile pour les parasites de trouver un environnement accueillant dans les intestins. Un parasite est un petit organisme, qui peut aller d'une simple cellule au ver solitaire de huit mètres de long; cet organisme envahit notre système et produit des toxines.

Comment est-ce possible par les temps qui courent? Eh bien! avez-vous joué avec un chat ou un chien dernièrement? Les parasites et les vers se développent sur les animaux. Avez-vous partagé la boisson gazeuse d'une autre personne? Ou même serré la main de quelqu'un récemment? N'avez-vous jamais mangé une fraise ou un raisin au supermarché, ou encore mangé un fruit qui n'a pas été lavé convenablement? Mangez-vous de la restauration rapide (*fast food*)? À quand remonte la dernière fois où vous avez bu de l'eau du robinet? Que dire du bacon que vous avez mangé au petit déjeuner ce matin, ou du rôti de bœuf que vous avez ingéré au souper hier soir?

Les parasites sont une menace importante pour la santé. Ils se reproduisent rapidement et peuvent causer des *allergies* en sécrétant des toxines et des déchets dans l'organisme. Des parasites microscopiques peuvent s'infiltrer dans les articulations et dévorer les parois de l'os, entraînant des manifestations *arthritiques.*

Les parasites provoquent une carence nutritionnelle en volant les éléments nutritifs essentiels du tractus intestinal, du sang et même directement des cellules. *Les parasites dévorent les éléments nutritifs avant même que l'organisme puisse le faire!* Ils s'approprient les meilleurs éléments et l'organisme n'obtient que les rebuts et les restes. Par conséquent, les cellules sont incapables de se « réparer » elles-mêmes, et cela a pour effet de détruire la santé petit à petit. Les parasites mangent l'organisme et peuvent vivre aux dépens de leur hôte (votre organisme) pendant des années. Si vous êtes du genre à avoir un grand besoin de sucré, votre organisme est peut-être habité par un parasite qui aime le sucre.

LES SIGNES DE PARASITES DANS L'ORGANISME

Voici les principales manifestations d'une parasitose :

- les allergies ;
- les gaz ;
- les ballonnements ;
- le fait de manger plus que d'habitude et d'avoir encore faim ;
- le syndrome de fatigue chronique ;
- le grincement des dents ;
- le syndrome du côlon irritable ;

- la nervosité ;
- la constipation ;
- la diarrhée ;
- les pensées diffuses ;
- les douleurs articulaires et musculaires ;
- les troubles du sommeil ;
- le gain de poids ou la perte de poids.

COMMENT DÉBARRASSER VOTRE ORGANISME DES PARASITES

Je vous suggère huit moyens qui, mis ensemble, vous aideront à vous débarrasser des parasites.

1. Peu importe si vous croyez avoir des parasites ou non, il est toujours sage de faire une éradication des parasites du côlon deux fois par année. Si vous avez des symptômes, il est impératif que vous le fassiez.
2. Renforcez votre système immunitaire en prenant des suppléments, des vitamines et améliorez votre régime alimentaire.
3. Faites de l'exercice régulièrement et buvez de 8 à 10 verres d'eau distillée ou d'eau de source par jour.
4. Augmentez votre consommation de fibres – en moyenne, les adultes consomment 14,5 g de fibres par jour ; il s'agit de la moitié de ce qui est nécessaire dans un régime alimentaire quotidien.
5. Ne mangez pas de poisson cru et faites cuire votre bœuf jusqu'à ce qu'il soit bien cuit et qu'il n'y ait plus aucune trace de rouge.

6. Si vous campez, ne buvez pas d'eau provenant d'un ruisseau ou d'une rivière.
7. Lavez-vous toujours les mains après être allé à la salle de bain et après avoir travaillé dans le jardin.
8. Les animaux de compagnie sont porteurs de parasites et de vers. Il est donc important de voir à ce que leur organisme soit exempt de la présence de vers. Il ne faut pas dormir à proximité d'eux non plus.

Plus de 1 000 espèces de parasites peuvent vivre dans notre organisme; cependant, des tests sont disponibles pour seulement de 40 à 50 d'entre eux. Les médecins effectuent des tests pour seulement 5 % des parasites et ne détectent pas 80 % d'entre eux. Cela amène donc le taux de parasites découverts cliniquement à 1 % seulement. Et lorsque l'organisme est ainsi affaibli par les parasites, il est susceptible de contracter d'autres infections[2].

Les parasites nichent, se nourrissent et déposent leurs œufs dans le côlon. Avec le temps, une couche de résidus recouvre le côlon et devient de plus en plus épaisse. Il s'agit de matières fécales ne pouvant être éliminées. Le côlon essaie malgré tout de faire passer des nutriments à travers lui, mais avec cette couche de matières fécales, devinez ce qui est absorbé avec les nutriments ? **LES TOXINES** ! Vous vous empoisonnez chaque fois que vous mangez !

RÉFÉRENCES

1 ROSENBAUM, M. et M. SUSSER. *Solving the Puzzle of Chronic Fatigue Syndrome*, Tacoma, Washington, Life Services Press, 1992.

2 PEDERSON, G. et M. WILSON. *Seeds of Life*, Texas, Charwood Publishing, 1997.

DEUXIÈME PARTIE

LA SOLUTION : SIX SEMAINES POUR SE REFAIRE UNE MEILLEURE SANTÉ

La première partie de cet ouvrage visait à vous fournir des renseignements essentiels sur le syndrome de fatigue chronique; j'espère que vous comprenez maintenant que le SFC touche chaque organe de votre corps. J'ai toujours cru fermement que le fait d'être bien informé nous permettait de faire de bons choix, notamment en ce qui concerne le traitement de nos affections.

La deuxième partie de cet ouvrage offre la solution au syndrome de fatigue chronique. J'aimerais que vous sachiez que plusieurs centaines de cas documentés de personnes souffrant du SFC suivent notre programme et vivent maintenant à nouveau sainement. Il y a de l'espoir! La première étape est de vous aider à comprendre votre état; ensuite, si vous suivez notre programme, vous obtiendrez des résultats. Vous commencerez à voir une importante amélioration dans six semaines. Ne vous découragez pas, vos cellules sont très malades et sont dans un état de « précancer ».

Il n'y a pas de magie au chiffre 6, seulement du gros bon sens. Ayant traité des milliers de patients depuis 25 ans, mon expérience m'a permis d'en venir à de simples observations.

1. Il faut 21 jours (ou trois semaines) pour créer une habitude.
2. Il faut encore 21 jours (ou trois semaines) pour renforcer cette habitude.

Par conséquent, la solution en six semaines pour le SFC provient de mon expérience avec la nature humaine.

Si vous souffrez du syndrome de fatigue chronique, vous devez changer de style de vie. Il y a quatre choses que je veux changer dans votre vie au cours des six prochaines semaines :

1. votre façon de penser ;
2. votre régime alimentaire ;
3. les suppléments que vous prenez ;
4. votre philosophie face à l'exercice.

Voyons plus en détail chacun de ces aspects.

CHAPITRE 12

Changez votre façon de penser

L'ATTITUDE

Pourquoi accordons-nous tant d'importance à l'attitude? Laissez-moi vous expliquer. Au cours de mes vingt-cinq années de pratique, j'ai connu des centaines de patients qui, sans même s'en rendre compte, n'éprouvaient pas le désir réel de se sentir mieux. La maladie d'un patient devient souvent pour lui un « objet » sécurisant. J'ai connu des patients qui, en raison de leurs problèmes personnels, ne désiraient pas vraiment guérir. Ces personnes vivaient souvent des problèmes conjugaux ou familiaux qui ne pouvaient être résolus facilement. La maladie dont elles étaient atteintes devenait chronique parce qu'une amélioration de leur état de santé les aurait obligées, en quelque sorte, à faire face à leurs problèmes personnels : elles n'auraient alors plus eu l'excuse de la maladie pour se défiler. Parfois, la seule attitude qu'elles étaient capables d'adopter était l'apitoiement sur soi. D'autres patients savaient que, s'ils allaient mieux, ils cesseraient d'être le centre d'attraction. Un mariage chancelant ou d'autres problèmes à la maison ont un impact énorme sur l'attitude d'une personne face au

SFC. En fait, l'attitude est l'élément premier de la guérison. L'attitude idéale doit comprendre les trois dimensions qui suivent.

LES TROIS DIMENSIONS ESSENTIELLES

Le désir

Pour mieux se sentir lorsqu'on souffre du syndrome de fatigue chronique, il faut réellement désirer guérir. Je peux vous conduire jusqu'à la fontaine, mais je ne peux vous faire boire l'eau. Jusqu'à quel point désirez-vous vous sentir mieux ? Le désir implique la pensée. Vous devez désirer que ce problème soit résolu. Vous devez désirer être en meilleure santé.

La détermination

La détermination implique la motivation. Je connais un grand nombre d'alcooliques qui désirent cesser de boire. Après avoir bu, ils s'en veulent chaque fois d'avoir abusé ainsi de l'alcool. Mais, voyez-vous, ils ne sont pas réellement déterminés à mettre fin à leur consommation. Dans leur tête, tout comme les fumeurs qui veulent d'arrêter de fumer, ils se disent: «Je *voudrais* être capable d'arrêter.» Mais seule la véritable détermination peut les conduire à la prochaine étape. Je suggère aux personnes atteintes du SFC de se dire : «Je *vais* me sentir mieux.» Si vous désirez vous sentir mieux, si vous êtes déterminé à vous sentir mieux, soyez assuré que vous irez mieux dans peu de temps. Bien sûr, au cours des six prochaines semaines, il vous arrivera de vivre une mauvaise journée (cela *va* arriver), **MAIS N'ABANDONNEZ PAS**. Ne laissez pas les amis (ceux qui sont négatifs) ou certains membres de votre famille vous décourager. Prenez une journée à la fois et faites confiance au programme. Les six prochaines semaines changeront réellement les cellules de votre organisme. Vous commencerez à guérir, et votre système immunitaire recommencera à fonctionner de nouveau.

La discipline

Le désir implique la pensée, la détermination et la volonté, tandis que la discipline implique l'organisme. Au cours des six prochaines semaines, je vous demanderai de discipliner votre organisme. Si je vous demande d'éliminer un aliment de votre régime alimentaire ou d'ajouter des suppléments, faites-moi confiance et faites-le. Les cellules de votre organisme comptent sur vous. À propos, seul vous qui souffrez du SFC savez combien il est difficile, particulièrement dans les mauvais jours, de même penser agir sans aucune aide. Mais la discipline vous guidera vers la guérison.

ÊTES-VOUS PRÊT ?

Vous pouvez peut-être commencer par une prière et demander à Dieu (ou à un Être supérieur, ou à votre énergie intérieure, selon vos croyances) de vous venir en aide. Je ne crois pas aux coïncidences et, par conséquent, je sais que vous ne lisez pas ce livre par hasard. Demandez à Dieu de vous aider à respecter le programme et de vous donner la sagesse de comprendre votre maladie.

L'OPTIMISME

Dans son ouvrage *Who Gets Sick?,* l'auteur médical Blair Justice commence un chapitre par la définition du terme «pessimiste». Il écrit: «Un pessimiste est quelqu'un qui, lorsqu'il est confronté à deux situations déplaisantes, les choisit toutes les deux.» Ne limitez pas la capacité de votre organisme de se sentir mieux. Une attitude positive, une saine détermination et la discipline vous aideront à recouvrer la santé.

CHAPITRE 13

Changez votre régime alimentaire

Voici quelques précieux conseils pour vous aider à manger sainement. L'alimentation est, en effet, un des aspects les plus importants pour recouvrer la santé.

RÉDUISEZ VOTRE CONSOMMATION DE MATIÈRES GRASSES

Renseignez-vous et apprenez tout au sujet des différentes matières grasses – lesquelles sont mauvaises pour vous et lesquelles sont essentielles pour le fonctionnement optimal de votre organisme. Les matières grasses sont une partie nécessaire d'un régime alimentaire équilibré. Malheureusement, peu de personnes savent faire la différence entre les bonnes et les mauvaises matières grasses. En fait, les matières grasses raffinées sont comparables au sucre raffiné: tous les deux contiennent des calories vides. Les bonnes matières grasses, elles, remplissent des fonctions vitales dans notre organisme:

- elles protègent nos organes;

- elles servent d'éléments constitutifs aux membranes cellulaires et à certaines hormones qui maîtrisent de nombreuses fonctions corporelles ;
- elles sont nécessaires pour l'absorption des vitamines liposolubles A, D, E et K. Un régime alimentaire trop faible en gras peut entraîner un dysfonctionnement du système immunitaire et de l'appareil digestif, sans oublier les yeux, la peau, les os et les dents que ces vitamines protègent.

Les bonnes matières grasses

Les gras monosaturés sont les bonnes matières grasses. Ce sont les gras qui maintiennent un équilibre entre le « bon » cholestérol des lipoprotéines de haute densité (eh oui ! le bon cholestérol existe !) ou HDL, et le « mauvais » cholestérol à lipoprotéines de basse densité ou LDL. L'olive, l'arachide, l'amande, la pacane, le sésame, le colza et l'avocat donnent les meilleures huiles.

Les mauvaises matières grasses

Les corps gras polyinsaturés diminuent le taux de cholestérol, mais ils diminuent également le taux de « bon » cholestérol des lipoprotéines de haute densité – le cholestérol que vous devez conserver. Les corps gras polyinsaturés sont les plus répandus dans les produits emballés parce qu'ils sont les plus économiques. On les trouve en petite quantité dans presque toutes les matières organiques d'origine végétale et en grande quantité dans la plupart des huiles végétales et des poissons vivant en eau froide.

Les vilaines matières grasses

Les graisses saturées constituent les plus puissantes substances provoquant une élévation du cholestérol sanguin. Ce sont les graisses responsables des agrégats d'hématies (globules rouges) ou des thromboses artérielles. Les graisses saturées proviennent des produits animaux, du fromage, du beurre, de la graisse végétale, du bœuf, de la noix de coco et des produits laitiers entiers. Le poulet, la dinde et le poisson sont les aliments qui contiennent les plus petites quantités de graisses saturées.

Moins de gras

Voici des trucs simples pour diminuer les matières grasses de votre régime alimentaire :

- buvez une plus grande quantité d'eau pour contrôler votre appétit ;
- consommez une plus grande quantité de fibres pour remplacer les matières grasses. Une grande quantité de fibres procure l'impression d'être rassasié ;
- remplacez la moitié des aliments que vous mangez, par exemple les vinaigrettes, le fromage à la crème, les produits laitiers, le beurre d'arachide, etc., par des aliments faibles en gras ;
- préparez plusieurs repas sans viande par semaine ;
- soyez prudent quant à la consommation des substituts de matières grasses. Aucune étude approfondie ou à long terme n'a été effectuée sur les effets de ces substituts sur l'organisme ;
- évitez de réorganiser tout votre régime alimentaire en une seule fois. Commencez par un changement à la fois

et lorsque vous vous sentez à l'aise avec cette transformation, poursuivez avec la suivante ;
- remplacez le riz blanc par le riz brun ;
- remplacez la farine blanche par la farine brute.

La raison pour laquelle il est si difficile d'éviter les matières grasses dans notre régime alimentaire est leur composition, qui donne aux aliments leur saveur et leur parfum. Une énergie à long terme et un sentiment de lourdeur après un repas sont également attribuables aux matières grasses parce qu'elles sont plus longues à digérer que les protéines et les hydrates de carbone. *Les graisses et les huiles non raffinées et non hydrogénées constituent une importante source de gras favorables et sont en fait bonnes pour votre santé.*

RÉDUISEZ VOTRE CONSOMMATION DE SUCRE

Le Nord-Américain moyen consomme présentement environ 60 kg de sucre, soit 17 fois trop, ou environ de 30 à 33 cuillères à thé de sucre chaque jour ! Le sucre est caché dans presque tous les aliments traités – même dans certaines marques de sel, de dentifrices, de sachets de thé et de tabac[1].

Les maladies cardiaques, le diabète et le cancer, qui étaient à peine présents au cours du XIXe siècle, semblent s'être manifestés brusquement en corrélation directe avec l'augmentation de la consommation de sucre. Les autres états de santé reliés à la consommation de sucre sont la levure, les infections parasitaires, l'hypoglycémie, les problèmes émotionnels et le risque accru d'ostéoporose et de calculs rénaux.

Le sucre affaiblit le système immunitaire, et des éléments probants indiquent maintenant que la consommation excessive de sucre est impliquée dans plus d'une soixantaine d'affections. Cent grammes de sucre seulement (sous quelque forme que ce soit) rendent les globules blancs léthargiques une heure après l'ingestion[2].

La consommation excessive de sucre nuit à la circulation de la vitamine C en empêchant l'absorption de plusieurs substances minérales ou en augmentant l'excrétion de plusieurs d'entre elles. De plus, le sucre :

- réduit la capacité des globules blancs à détruire les bactéries, affaiblissant de ce fait le système immunitaire naturel de l'organisme contre les infections ;
- neutralise l'action des acides gras essentiels ;
- augmente le taux de glucose dans le sang et conduit à la production excessive de corps gras. Le stockage excessif de corps gras a été associé aux cancers du côlon et du sein ;
- diminue la tolérance glucidique, ce qui met le pancréas à rude épreuve et pourrait bien conduire à l'hypoglycémie ou au diabète sucré ;
- augmente la pression artérielle, ce qui pourrait éventuellement entraîner un accident vasculaire cérébral ou des problèmes cardiaques.

Jouez un tour à vos papilles gustatives

Si vous essayez de réduire votre consommation de sucre, l'auteure et nutritionniste Ann Louise Gilleman mentionne les trucs suivants dans son ouvrage *Get the Sugar Out*[3] :

- réduisez votre consommation de sel pour diminuer votre besoin urgent de sucre ;
- satisfaites vos besoins urgents de sucre par des fruits frais ou par des desserts contenant des ingrédients naturels ;
- choisissez de petites gâteries non sucrées – les gâteries n'ont pas à être sucrées, seulement nouvelles et différentes ;
- développez vos sensations gustatives avec d'autres choses que des aliments sucrés ou salés ;
- apprenez à aimer le goût des aliments à l'état naturel ;
- remplacez les bonbons par des noix, des graines ou du maïs soufflé comme collation.

Qu'en est-il du miel, de la cassonade et des édulcorants ?

Le *miel* est un autre bon substitut pour le sucre. Voici pourquoi :

- il renferme une source élevée de fructose, un sucre meilleur pour la santé que le saccharose et le glucose contenus dans le sucre ordinaire ;
- il contient du chrome, un minéral nécessaire à la transformation du sucre ;

- il est composé de bioflavonoïdes (vitamine P) qui aident le mécanisme d'autodéfense de l'organisme en combattant les infections et qui contribuent à réduire le processus de vieillissement;
- il constitue également un antibiotique naturel qui, lorsqu'il est appliqué sur la peau ou sur des coupures, aide à prévenir les infections.

La *cassonade*, elle, est un sucre cristallisé recouvert de sirop de mélasse.

D'autre part, ce n'est pas parce qu'on indique *sans sucre* sur un produit qu'il est faible en calories. La plus grosse erreur qu'on puisse faire concernant les *édulcorants* artificiels est de croire qu'ils ne contiennent aucune calorie. Il arrive parfois qu'ils en contiennent autant que le sucre.

RÉDUISEZ VOTRE CONSOMMATION DE REPAS-MINUTE

La restauration rapide, voilà le meilleur plan de commercialisation du siècle étant donné que tout le monde en veut plus pour moins. Il est difficile, dans notre société, de résister à la restauration rapide. Mais au restaurant McDonald's, un quart de livre avec fromage contient 530 calories, 30 g de gras, 13 g de graisse saturée et 1 080 mg de sodium. La grosse frite, elle, contient 520 calories, 24 g de gras, 12 g de graisse saturée et 280 mg de sodium[4]; les condiments, comme le ketchup et la moutarde, ne sont pas inclus dans ces calculs. Il n'y a aucune valeur nutritive dans ce repas, particulièrement pour une personne souffrant du SFC et de fibromyalgie.

De plus, lorsqu'une personne atteinte du SFC consomme ce genre de nourriture, elle ne mange pas les portions requises de fruits et de légumes qu'un malade chronique devrait consommer. Elle n'a pas non plus un régime alimentaire riche en fibres, pourtant essentiel au nettoyage du côlon et à l'élimination des déchets toxiques de l'organisme. Son organisme doit contenir certains éléments nutritifs pour maintenir sa force de combat.

Lorsque le système immunitaire est fort, certaines cellules désignées recherchent les envahisseurs non désirés et se débarrassent rapidement d'eux. Lorsque notre régime alimentaire consiste principalement en des repas-minute, nous n'offrons pas suffisamment de munitions à ces cellules pour leur permettre d'agir comme mécanismes de défense. Ces cellules deviennent submergées et surchargées, et doivent nous défendre sur trop de fronts.

Voici quelques questions à vous poser chaque fois que vous mettez quelque chose dans votre bouche :

- Est-ce bon pour mon organisme ?
- Est-ce que je peux manger quelque chose de plus nutritif ?
- Est-ce que j'empêche ainsi mon organisme de se sentir mieux ?

L'alimentation constitue l'un des aspects les plus importants pour obtenir une meilleure santé chez les sujets atteints du SFC.

AUGMENTEZ VOTRE CONSOMMATION DE FIBRES ALIMENTAIRES

En 1996, la Federal Drug Administration (FDA) des États-Unis a accordé aux fabricants le droit de faire des revendications spécifiques sur la santé à propos des fibres alimentaires. La principale revendication proposée stipule que les régimes alimentaires riches en fibres peuvent réduire les risques de maladies du cœur. Il s'agit de la première requête jamais permise par la FDA pour un aliment. Les fibres alimentaires ont pour effet de réduire le gras dans le sang et de diminuer la pression artérielle. Elles maintiennent nos artères propres, préviennent les gains de poids non désirés et facilitent l'élimination des toxines dans les intestins.

Le foie essaie constamment d'éliminer le mauvais cholestérol en le déchargeant dans les intestins. Lorsque nous ingérons suffisamment de fibres, notre organisme se débarrasse du « mauvais » cholestérol plutôt que de le réabsorber dans le sang. Si nous ne mangeons pas assez de fibres, le cholestérol est produit en excès avant que nous nous rendions compte que nous avons suffisamment mangé. L'augmentation de la consommation de fibres alimentaires contribue à nous aider à nous sentir rassasiés.

Nous savons tous que les fibres ont un effet sur le côlon. Elles passent dans les intestins et agissent comme une éponge mouillée pour retenir et pour absorber non seulement l'eau et les toxines, mais également des composés comme les acides biliaires, qui pourraient modifier le métabolisme du cholestérol. Les fibres, mangées sur une base régulière, ont un effet tampon sur les acides gastriques contenus dans l'estomac, ce qui suggère un effet protecteur contre le développement de certains types d'ulcères.

Rappelons que « fibres alimentaires » est le terme utilisé pour désigner les matières des plantes que votre organisme ne peut absorber. Les fibres sont solubles ou insolubles. Les fruits, les aliments complets, les fèves et les légumes représentent tous de bonnes sources de fibres alimentaires.

Les fibres insolubles sont d'une aide précieuse pour le fonctionnement normal des intestins. Les aliments riches en fibres insolubles sont composés, entre autres, de pain de blé entier, de céréales de blé, de son de blé, de chou, de betterave, de carotte, de chou de Bruxelles, de navet, de chou-fleur et de pelure de pomme.

L'essentiel

Il est impératif que nous nettoyions notre organisme. Les fibres aident le patient atteint du SFC à débarrasser son organisme des toxines. Essayez de toujours penser ainsi : « Je dois éliminer les toxines de mon corps. Mes cellules ont été endommagées, ce qui a laissé beaucoup de débris dans mon organisme ; ces débris doivent absolument disparaître. » Notre organisme peut se débarrasser des toxines de quatre façons :

1. par les poumons ;
2. par la peau ;
3. par les reins ;
4. par les intestins.

Les fibres aident les intestins à se nettoyer eux-mêmes. N'oubliez pas que presque tous les sujets atteints du SFC souffrent de problèmes intestinaux. Il arrive également souvent que le foie soit paresseux, ce qui diminue la production d'enzymes digestifs. Cela entraîne le syndrome du tube digestif partiellement fonctionnel (voir le chapitre 9, à la page 77) et d'autres problèmes gastriques. Souvent aussi, ce sont des parasites ou une occlusion des intestins qui causent le syndrome de malabsorption que l'on observe fréquemment dans les cas de fatigue chronique. La plupart des sujets atteints du SFC ne peuvent même pas absorber les bons éléments nutritifs dans leurs aliments et suppléments parce que leurs intestins ne fonctionnent pas bien du tout. Donc, encore une fois, augmentez votre consommation de fibres et assurez-vous de boire beaucoup d'eau.

AUGMENTEZ VOTRE CONSOMMATION D'EAU

Les reins ne peuvent pas fonctionner s'ils manquent d'eau et lorsque cela se produit, l'élimination est alors assurée par le foie. L'une des principales fonctions du foie est de transformer le gras emmagasiné en énergie utilisable pour l'organisme. Si le foie doit remplir les fonctions des reins, il ne peut plus remplir la tâche qui lui revient normalement. Par conséquent, le foie métabolise moins de gras, qui demeure emmagasiné dans l'organisme. La perte de poids est interrompue.

La constipation

Le côlon a pour fonction d'évacuer tous vos déchets. Lorsque l'organisme ne reçoit pas suffisamment d'eau, il l'absorbe au niveau du côlon. Cela entraîne la constipation. Lorsque le côlon se porte bien, le foie et les reins peuvent filtrer, le système lymphatique peut vidanger, les poumons peuvent respirer, la peau s'éclaircit et le reste de l'organisme se porte mieux.

La rétention d'eau

Boire beaucoup d'eau est le meilleur traitement contre la rétention d'eau (œdème). Lorsque l'organisme reçoit moins d'eau qu'il en a besoin, il conserve chaque goutte. L'eau est emmagasinée à l'extérieur des cellules, c'est pourquoi les pieds, les jambes et les mains enflent. Les diurétiques offrent seulement une solution temporaire.

Le tonus musculaire

En améliorant la capacité naturelle du muscle à se contracter, l'eau peut aider l'organisme à maintenir un contrôle musculaire adéquat.

Choisissez l'eau la plus propre

Il existe différents types d'eau. L'*eau distillée* est de l'eau du robinet qui a été bouillie jusqu'à ce qu'elle se transforme en vapeur et qui a été récupérée et condensée de nouveau en un liquide privé de ses impuretés, de ses produits chimiques et de ses minéraux. Ce processus crée une eau sans saveur. L'*eau minérale*, naturellement alcaline, est un antiacide naturel et un diurétique doux (une substance qui augmente la sécrétion urinaire). L'*eau embouteillée* devrait être préférée à l'*eau du robinet*.

L'eau potable ne doit pas contenir de pesticides, de polluants, de fertilisants, de parasites et de bactéries. *L'eau potable devrait être froide*. Des études ont démontré que l'eau froide est absorbée plus rapidement dans l'organisme et qu'elle peut en fait aider à brûler des calories par la thermogenèse.

Les avantages à boire de l'eau

Lorsque l'organisme fonctionne parfaitement, il reçoit la quantité d'eau dont il a besoin, entraînant un équilibre parfait des fluides. Les résultats sont les suivants :

- le fonctionnement des glandes endocrines s'améliore ;
- la rétention des liquides est réduite ;
- une plus grande quantité de gras est utilisée comme combustible parce que le foie est libre de métaboliser les réserves de gras ;
- la soif naturelle revient ;
- il y a perte de l'appétit durant la nuit.

Quelle quantité d'eau devrions-nous boire ?

Une personne devrait boire au moins 8 verres d'eau par jour (un total d'au moins 64 oz par jour ou un peu plus de 1,5 litre). La personne souffrant d'embonpoint doit boire un verre de plus pour chaque tranche de 12 kg en surplus. Nous devrions boire plus d'eau lorsque nous faisons de l'exercice ou lorsqu'il fait très chaud l'été.

RÉFÉRENCES

1 DONSBACK, D. et M. ALSLEBEN. *Systemic Candidiasis and CFS*, Santa Monica, California, 1992.

2 *Ibidem.*

3 GILLEMAN, A. *Alive Magazine*, August 1998.

4 MARTIN, A. W. « Sugar! Be Informed », *Healthwatch*, R & T Press, vol. 1, nº 10, p. 1.

CHAPITRE 14

Changez vos suppléments alimentaires

Si vous souffrez du syndrome de fatigue chronique, vous avez besoin de suppléments alimentaires. En fait, toute personne qui respire sur cette planète et qui ne prend pas d'antioxydants, de vitamines ou d'herbes médicinales ne peut, en théorie, obtenir la protection dont elle a besoin par les temps qui courent. Mais l'ajout de suppléments dans le régime alimentaire est particulièrement essentiel pour les personnes atteintes du SFC et dont le système immunitaire est sérieusement compromis. Si vous croyez prendre une quantité suffisante d'éléments nutritifs dans les aliments que vous mangez, vous vous trompez. Voici la liste des suppléments essentiels que je recommande pour un traitement réussi du SFC.

LE PYCNOGÉNOL[MD] – GRAND PARLEUR, GRAND FAISEUR !

Si vous souffrez du SFC, vous n'améliorerez pas beaucoup votre état à moins que vous n'ajoutiez du Pycnogénol à votre régime alimentaire. Si vous ne faites rien d'autre, mais que vous prenez du Pycnogénol, votre organisme réagira à l'antioxydant nº 1 au monde et prendra du mieux. En 1993, après que ma femme eut souffert du SFC pendant deux ans (voir son témoignage en appendice, à la page 127), nous avons découvert le Pycnogénol. Un de mes amis avait suggéré à Rose-Marie d'essayer cet extrait d'écorce du pin provenant de France. Croyez-moi, lorsque vous êtes atteint du SFC, vous êtes prêt à essayer n'importe quoi. Tous mes traitements et les conseils que je lui avais prodigués l'avaient aidée, mais ils n'avaient pas réussi à lui apporter une amélioration significative. Cependant, au mois de mai 1993, Rose-Marie vit sa santé prendre rapidement du mieux après qu'elle eut commencé à ajouter le Pycnogénol à son alimentation. Je me souviens qu'elle « menaçait » de mettre ma vie en danger si je ne lui fournissais plus ce supplément ! En 1993, il était beaucoup plus difficile de se procurer du Pycnogénol qu'aujourd'hui. Il s'agit d'un produit entièrement naturel qui donne à votre organisme malade l'aide dont il a besoin pour se sentir mieux. D'autres suppléments sont efficaces, mais le Pycnogénol est la crème de la crème. Depuis 1993, ma première étape dans le traitement du SFC est de prescrire du Pycnogénol à mes patients. Depuis ce temps, je peux affirmer en toute confiance que ce produit est le stimulant santé nº 1 pour le SFC.

Les meilleurs antioxydants connus provenant de l'alimentation sont les vitamines C et E. On trouve également des antioxydants dans certaines plantes, dont quelques-unes sont connues également pour leur apport en bioflavonoïdes et en minéraux. Il existe des milliers de mélanges connus de bioflavonoïdes qui améliorent la capacité de l'organisme à absorber la vitamine C. Des scientifiques croient qu'un régime alimentaire qui est riche en ces substances peut aider l'organisme à combattre et à détruire les radicaux libres. Le Pycnogénol est l'un des bioflavonoïdes les plus puissants jamais découverts, en grande partie en raison de son incroyable solubilité dans l'eau et de son absorption rapide dans le sang. Le Pycnogénol offre les avantages suivants aux patients atteints du SFC :

- il *neutralise* les radicaux libres présents dans le sang et aide à *empêcher la formation de radicaux libres.* Comme je l'ai mentionné précédemment, les radicaux libres représentent l'une des principales causes du SFC. Le Pycnogénol traite réellement les cellules de notre organisme contre l'érosion ;
- il renforce la santé des parois des vaisseaux sanguins ; ainsi, la circulation dans les mains et dans les pieds s'améliore de même que la circulation des petits vaisseaux capillaires qui alimentent les yeux, ce qui comporte d'importants avantages pour les *fumeurs,* les personnes qui souffrent de rétinopathie diabétique (affection de la rétine de l'œil) et qui présentent des veines variqueuses (varices). Les organes et les tissus de l'organisme qui comptent sur un débit sanguin adéquat peuvent retrouver un bon état et, ainsi, réduire l'œdème ;
- il soulage les allergies en bloquant la formation des enzymes qui causent les allergies. En réduisant la production d'histamine, le Pycnogénol aide les artères à résister à l'attaque des agents mutagènes qui entraînent les maladies cardiovasculaires ;
- il renforce le système immunitaire ;
- il est l'une des rares substances qui traverse rapidement la barrière hémato-encéphalique et protège les vaisseaux

sanguins du cerveau contre l'oxydation. En général, les personnes atteintes du SFC voient leurs fonctions cérébrales s'améliorer ;

- il a la capacité de se fixer au collagène et aide les fibres de collagène à reconstituer leurs ponts intercaténaires pour annuler les dommages causés par les lésions et par les attaques des radicaux libres. Cette reconstitution de collagène aide la peau à retrouver sa souplesse. Le Pycnogénol agit en quelque sorte comme un « produit cosmétique oral ». Il a également la capacité de redonner de la flexibilité aux articulations et aux artères ;
- il soulage l'inflammation et bloque le processus qui mène à l'inflammation. De plus, il empêche la libération d'histamine, ce qui réduit davantage l'inflammation, une autre bonne nouvelle pour les personnes atteintes du SFC. *Il n'y a aucun doute que l'inflammation joue un rôle clé dans les symptômes du syndrome de fatigue chronique.*

La dose de saturation

Le Pycnogénol devrait être pris de la façon suivante : 25 mg pour chaque 12,5 kg du poids corporel. Par conséquent, si vous pesez 50 kg, vous devriez prendre 100 mg de Pycnogénol quotidiennement. Si vous pesez 100 kg, vous devriez prendre 200 mg. C'est ce qu'on appelle la dose de saturation.

Il est très important que les sujets atteints du SFC prennent une dose de saturation pendant au moins six semaines.

D'AUTRES SUPPLÉMENTS RECOMMANDÉS POUR LE SFC

La coenzyme Q_{10}

Les personnes souffrant du syndrome de fatigue chronique ont des carences vitaminique et nutritionnelle. La coenzyme Q_{10} est une substance naturelle, liposoluble et dont les caractéristiques sont semblables aux vitamines. Elle constitue l'une des substances de la chaîne de réactions qui produit l'énergie dans le métabolisme alimentaire. Presque chaque cellule de l'être vivant contient une coenzyme Q_{10} en raison de son besoin de production d'énergie. Cette coenzyme contribue à conduire la production d'énergie mitochondriale essentielle pour toutes les fonctions de l'organisme et constitue un puissant antioxydant qui protège les HDL (lipoprotéines de haute densité – le bon cholestérol) contre l'oxydation. La coenzyme Q_{10} stimule le système immunitaire et contribue à faire baisser la pression artérielle. Le fonctionnement de tous les organes dépend du degré adéquat de coenzyme Q_{10} de chaque cellule, qui fournit une énergie essentielle au maintien de la vie. Le tractus gastro-intestinal l'absorbe mieux lorsqu'il est administré avec de la viande. La dose habituelle pour une personne qui souffre du SFC se situe entre 60 et 200 mg par jour.

L'huile d'onagre

Dans l'huile d'onagre, l'ingrédient le plus actif est l'acide linoléique. Cet ingrédient constitue un acide gras essentiel. Comme notre organisme ne produit pas d'acides gras, nous devons les obtenir au moyen de notre régime alimentaire et de suppléments alimentaires. Les Drs Michael D. Winter et Peter Behan ont obtenu des résultats encourageants en utilisant l'huile d'onagre sur des patients atteints du SFC. Une étude contrôlée sur les acides gras a été menée au Glascow Southern General Hospital sur soixante-huit patients à qui on a donné huit capsules par jour pendant trois mois. Un groupe témoin a reçu un placebo pendant ce temps, et leur condition d'ensemble a été comparée après trois mois. Sur les quatre-vingt-quatre patients ayant pris de l'huile d'onagre, cinquante-trois d'entre eux ont senti une amélioration de leur état et trente et un ont senti une «importante amélioration». Le Dr Les Simpson, de la Nouvelle-Zélande, un chercheur s'intéressant au SFC, recommande de prendre huit capsules d'huile d'onagre par jour.

La vitamine C

La vitamine C soutient le système immunitaire et peut prévenir de nombreux types d'infections virales et bactériennes. Cette vitamine hydrosoluble ne peut être synthétisée par l'organisme; l'alimentation est donc notre principale source. La vitamine C donne des résultats optimaux lorsqu'elle est prise avec du Pycnogénol, puisque ce dernier l'aide à pénétrer plus efficacement dans l'organisme. Le Pycnogénol peut également régénérer la vitamine C utilisée en vitamine C active. En retour, la vitamine C peut recycler la vitamine E utilisée en vitamine E active. C'est lorsque le système immunitaire est très affaibli que les antioxydants comme le Pycnogénol et la vitamine C se retrouvent à la tête des suppléments «à être pris».

Le colostrum bovin

Les maladies immunitaires possèdent le triste record du taux de mortalité le plus élevé dans le monde. Les déficiences immunes, les maladies auto-immunes, les maladies du cœur, le cancer, les allergies, les infections, le diabète, les ulcères, même vieillir, sont en relation avec le système immunitaire. Le colostrum est le premier lait sécrété par les glandes mammaires de la mère qui apparaît de 24 à 48 heures après l'accouchement. C'est la combinaison parfaite des facteurs de croissance de Dame Nature qui combattent les maladies et les infections en protégeant l'organisme contre certains virus, certains allergènes, certaines bactéries et certaines toxines. Chez l'homme, le colostrum transmet une immunité contre les maladies et stimule une croissance saine normale. Le colostrum que je suggère comme supplément provient d'une vache, ce qui est accepté par tous les autres mammifères, y compris l'homme. Il s'agit également d'une autre étape pour un retour vers la santé et une meilleure qualité de vie pour les personnes souffrant du SFC.

RÉFÉRENCES

1 BOUTROS, M. « Pycnogenol®: The Amazing Antioxidant », *The Journal of Alternative Medicine*, April 1996, p. 15-26.

2 GABAR, B. et autres. « Anti-inflammatory and Superoxide Radical Scavenging Activities of a Procyandins Containing Extract from the Bark of Pinus Pinaster Sol and its Fractions », *Pharma Litt.*, 1994, p. 217-220.

3 MASQUELIER, J. et autres. « Flavonoids and Pycnogenol® », *International Journal for Vitamin and Nutrition Research*, 49 (3), 1979, p. 307-311.

4 PASSWATER, R. *The New Super Antioxidant Plus*, New Carson, Connecticut, Keats Publishing, 1992.

5 Simon, J. « Antioxidants and Their Effects », *The American Chiropractor*, March/April, 1995, p. 22.

6 Walker, M. « Powerful Antioxidant », *Explore*, vol. 5, nº 1, 1994, p. 1-3.

CHAPITRE 15

Changez votre façon de voir l'exercice

Je peux presque voir votre expression maintenant. Certains d'entre vous se disent: « Allons donc! je n'arrive même pas à sortir du lit! Comment pensez-vous que je puisse faire de l'exercice? » Eh bien, voici comment! Je ne veux pas que vous commenciez à faire de l'exercice avant que vous en soyez au moins à votre 21e journée dans ce programme de régénération. Souvenez-vous que je ne vous demanderai pas de courir le marathon ou de battre Arnold Schwarzenegger au tir au poignet. Mais sachez que dans notre philosophie d'éliminer les toxines de notre organisme et de régénérer notre système, l'exercice joue un rôle important.

LA PHILOSOPHIE FACE À L'EXERCICE

Il a été prouvé que le style de vie des Nord-Américains contribuait largement aux maladies comme le diabète, l'hypoglycémie, les maladies du cœur et le cancer. Les facteurs les plus communs mentionnés sont le manque de fibres, la consommation excessive de matières grasses, l'ingestion de sucre raffiné et le manque d'exercice.

Il existe plusieurs bonnes raisons pour la santé de faire de l'exercice :

- il contribue à écarter les problèmes de santé, tels les problèmes cardiaques et le diabète, et il améliore la qualité de vie des personnes souffrant du SFC ;
- il favorise le sommeil. Toute aide relative au sommeil pour les patients atteints du SFC est grandement appréciée ;
- il facilite beaucoup la gestion du stress ;
- il est un élément très positif pour la santé mentale et améliore l'estime de soi – ce qui est très important lorsqu'on se bat contre le SFC ;
- il aide l'organisme à ralentir le processus de vieillissement (comment vieillir avec élégance) ;
- il augmente la force musculaire et la mobilité articulaire ;
- il constitue un stimulant santé naturel pour le système immunitaire et aide l'organisme à combattre les infections.

ALLEZ-Y LENTEMENT

Pour les patients atteints du SFC, il est important de commencer lentement à faire de l'exercice. Vingt et un jours après avoir entrepris vos changements de vie, essayez de faire au moins de 5 à 10 minutes d'exercice par jour, comme marcher, faire de la bicyclette ou de la natation. Vous ne devez pas faire de jogging. La course épuise votre système trop rapidement et vous causera en fait plus de tort que de bien. Après deux ou trois semaines, essayez d'augmenter votre programme d'exercice à 20 minutes.

D'autres bonnes formes d'exercices sains pour les patients atteints du SFC sont les étirements et des exercices en piscine, par exemple l'aqua-forme, constitués de mouvements harmonieux et faciles pour les muscles et les articulations.

APPENDICE 1

L'histoire de Rose-Marie (mon épouse)

Je suis mère de quatre enfants, grand-mère de trois petits-enfants et infirmière diplômée. J'ai toujours dit que si je trouvais quelque chose pour m'aider à me sentir à nouveau comme un être humain, même s'il s'agissait d'avaler un serpent parce que quelqu'un m'a assuré que cela pouvait m'aider, je le crierais sur tous les toits : « Eh bien, je le crie sur tous les toits ! »

J'étais, à un moment donné, une personne tout à fait normale et qui semblait en santé, mais au cours de l'été 1991, tout cela a changé. Comme toute autre personne qui souffre du syndrome de fatigue chronique, je peux me souvenir exactement du moment où le sentiment de bien-être général a commencé à devenir un souvenir lointain. Ce sentiment a été remplacé par la prise de conscience d'un poids constant – une fatigue non naturelle – qui semblait m'enlever toute mon énergie au cours de la journée, accompagnée de douleurs musculaires et articulaires.

LA PREMIÈRE APPARITION DE LA MALADIE

Je menais une vie très active et j'étais en forme ; je courais cinq kilomètres chaque jour et huit kilomètres et demi la fin de semaine. Au cours de l'été 1991, le médecin a diagnostiqué de nouvelles allergies. Au mois d'octobre, j'ai été hospitalisée pour un bronchospasme et un grave problème d'asthme. Par la suite, nous avons dû vendre la maison « de nos rêves », que nous avions construite, parce que je ne pouvais plus monter les escaliers menant aux multiniveaux. Nous avons alors emménagé dans une copropriété.

LES SYMPTÔMES INEXPLICABLES

D'autres caractéristiques ont ensuite commencé à se manifester, en plus de la fatigue et des douleurs musculaires et articulaires. Mes pensées étaient devenues confuses, mon processus mental était très lent et j'avais des pertes de mémoire à court terme. Les fortes douleurs aux yeux faisaient maintenant partie de mon quotidien. D'importantes douleurs lors de la digestion, des ballonnements, alternant entre la diarrhée et la constipation, ont amené mon médecin à commencer à me prescrire des médicaments pour l'estomac. Puis, ce fut des anti-inflammatoires pour les douleurs musculaires et des sulfamides pour les infections vésicales et rénales continuelles. Je prenais également de la prednisone pour aider le système immunitaire à réagir aux allergies. Ayant toujours été une personne active, je devais soudainement m'occuper d'une maison et élever quatre enfants en passant du lit au canapé. Après une année de carrousel médical, un diagnostic était posé, mais la frustration avait alors atteint un sommet sans précédent. Les médecins pouvaient maintenant diagnostiquer le syndrome de fatigue chronique, mais ils n'avaient aucun traitement formel à me recommander.

LE PYCNOGÉNOL, LA RÉPONSE À MES PRIÈRES

Je n'oublierai jamais la journée, un jeudi de mai 1993, qui a radicalement changé le cours de ma vie. Je repense à cela comme à un miracle venu directement du ciel. Un ami de mon mari, un chiropraticien, m'a envoyé deux bouteilles d'un antioxydant portant un nom que je n'arrivais même pas à prononcer – le Pycnogénol. J'étais tellement désespérée que j'ai lu la note qui m'indiquait comment le prendre – un comprimé pour chaque 12,5 kg de poids corporel – et j'ai pris les comprimés sans lire l'information et même sans savoir ce dont il s'agissait. Le vendredi et le samedi, j'ai pris la même dose. Ce n'est pas avant le dimanche matin, à mon réveil, que j'ai senti un changement. Je ne me sentais pas comme d'habitude, c'est-à-dire malade à désirer en mourir. C'est alors que j'ai lu les renseignements qui m'avaient été envoyés sur cet extrait d'écorce du pin.

Au cours des semaines suivantes, la transformation a été remarquable. Mes pensées confuses commençaient à s'éclaircir pour la première fois depuis deux ans. De penser clairement et correctement était tout simplement merveilleux. Les douleurs musculaires et articulaires diminuèrent peu à peu chaque jour. Les oublis momentanés se sont espacés. Plusieurs mois après avoir commencé à prendre du Pycnogénol, mon nombre d'activités quotidiennes était presque revenu à la normale. J'ai encore quelques petites crises à l'occasion, mais elles ne sont pas fréquentes, ne durent pas longtemps et ne m'empêchent pas de fonctionner.

Je suis la preuve vivante que le programme de six semaines de mon mari fonctionne réellement. Il est très important, si vous souffrez du SFC et de fibromyalgie, de prendre votre corps en main.

APPENDICE 2

RÉSUMÉ DE CE QUI SE PRODUIT CHEZ LE PATIENT TYPE SOUFFRANT DU SFC

1re étape

Un élément ou une combinaison de plusieurs éléments parmi les suivants :

L'histoire médicale de la personne atteinte présente :

1. une prise d'antibiotiques ;
2. une exposition au stress ;
3. la prise de la pilule anticonceptionnelle ;
4. de l'hypersensibilité à des éléments environnementaux tels que :
   a) l'exposition à des moisissures,
   b) l'exposition à une pollution intense,
   c) le syndrome des tours à bureaux ;
5. de mauvaises habitudes alimentaires ;
6. des traumatismes (par exemple, un accident de voiture).

2e étape

Diminution des fonctions immunitaires de l'organisme

3e étape

Activation d'un virus latent (Epstein-Barr, mononucléose)

Les toxines d'origine fongique provoquent :

1. l'angiodysplasie intestinale ;
2. des infections à levure récurrentes (*Candida*).

4e étape

Œdème cérébral : diminution de la circulation sanguine dans le cerveau (globules rouges en forme de corolles), troubles du sommeil, confusion

5e étape

Diminution des fonctions de l'hypothalamus

Glandes surrénales	Glande thyroïde	Épiphyse	Glandes pituitaires	Ovaires
1. fatigue 2. hypoglycémie 3. baisse de la pression sanguine 4. déficience du système immunitaire 5. allergies 6. symptômes de fibromyalgie 7. infections urinaires 8. infections respiratoires	1. fatigue 2. diminution du taux de fonctionnement métabolique de base (métabolisme)	1. diminution de la production de la mélatonine 2. troubles du sommeil	1. faiblesse 2. diminution de la libido	1. syndrome prémenstruel 2. irrégularité du cycle menstruel

Index

A

C

D

E

F

G

H

L

M

O

P

R

S

T

Table des matières

Achevé d'imprimer
sur les presses de l'Imprimerie Quebecor,
L'Éclaireur, Beauceville